YASMINA KHADRA

Yasmina Khadra, de son vrai nom Mohammed Moulessehoul, est né en 1955 dans le Sahara algérien. Écrivain de langue française, son œuvre est connue et saluée dans le monde entier. La trilogie *Les Hirondelles de Kaboul*, *L'Attentat* et *Les Sirènes de Bagdad*, consacrée au conflit entre Orient et Occident, a largement contribué à la renommée de cet auteur majeur. La plupart de ses romans, dont *À quoi rêvent les loups*, *L'Écrivain*, *L'Imposture des mots* et *Cousine K*, sont traduits dans 42 pays. Récemment, *Les anges meurent de nos blessures* (2013) et *Qu'attendent les singes* (2014), qui marque son grand retour à l'Algérie d'aujourd'hui, ont paru aux éditions Julliard.
Ce que le jour doit à la nuit – meilleur livre de l'année 2008 pour le magazine LiRE et prix France Télévisions 2008 – a été adapté au cinéma par Alexandre Arcady en 2012. *L'Attentat* a reçu, entre autres, le prix des libraires 2006, le prix Tropiques 2006 et le grand prix des lectrices Côté Femme. Son adaptation cinématographique par le réalisateur Ziad Doueiri est sortie en mai 2013 sur les écrans et a remporté de nombreux prix lors de festivals, notamment l'Étoile d'or à Marrakech.
En 2011, Yasmina Khadra a reçu le Grand prix de littérature Henri Gal de l'Académie française pour l'ensemble de son œuvre.

QU'ATTENDENT LES SINGES

DU MÊME AUTEUR
CHEZ POCKET

LES AGNEAUX DU SEIGNEUR
À QUOI RÊVENT LES LOUPS
L'ÉCRIVAIN
L'IMPOSTURE DES MOTS
LES HIRONDELLES DE KABOUL
COUSINE K
L'ATTENTAT
LES SIRÈNES DE BAGDAD
CE QUE LE JOUR DOIT À LA NUIT
L'OLYMPE DES INFORTUNES
L'ÉQUATION AFRICAINE
LES ANGES MEURENT DE NOS BLESSURES
QU'ATTENDENT LES SINGES

YASMINA KHADRA

QU'ATTENDENT LES SINGES

roman

JULLIARD

Pocket, une marque d'Univers Poche,
est un éditeur qui s'engage pour la préservation
de son environnement et qui utilise du papier fabriqué
à partir de bois provenant de forêts gérées
de manière responsable.

ISBN : 978-2-266-25388-8

« Chaque génération doit dans une relative opacité découvrir sa mission, la remplir ou la trahir. »

Frantz Fanon,
Les Damnés de la terre

Il y a ceux qui font d'une lueur une torche et d'un flambeau un soleil et qui louent une vie entière celui qui les honore un soir ; et ceux qui crient au feu dès qu'ils voient un soupçon de lumière au bout de leur tunnel, tirant vers le bas toute main qui se tend vers eux.

En Algérie, on appelle cette dernière catégorie : les Béni Kelboun.

Génétiquement néfastes, les Béni Kelboun disposent de leur propre trinité :

Ils mentent *par nature,*
trichent *par principe*
et
nuisent *par vocation.*

Ceci est leur histoire.

1.

C'est un matin splendide, qui n'existe que pour lui-même comme un rossignol qui chante dans un monde de sourds ; un matin algérien, avec son soleil de décembre éclatant et froid pareil à un joyau punaisé dans l'azur, hors de portée des rêves tordus, des prières biaisées et des Icare aux ailes rognées.

Le ciel est d'un bleu lustral.

En plissant les paupières, et avec un peu de chance, on surprendrait les dieux dans leur retraite, la bedaine sur les genoux et la tête rejetée en arrière dans des rires homériques, amusés par la galère d'ici-bas et le ballet des comètes.

On croit entendre un clapotis, mais il n'y a ni fontaine ni ruisseau dans les parages. Dans le silence de la forêt de Baïnem, tout semble couler de source. Et tout est enchantement : la brume qui remonte du ravin ; les moucherons qui virevoltent dans un halo de lumière, indissociables des étincelles gravitant autour d'eux ; la rosée sur l'herbe ; le bruissement des fourrés ; la fuite au ralenti d'une belette – on a envie de se pincer.

Si un poète éconduit par son égérie échouait à cet endroit, il réinventerait l'amour d'un claquement de doigts.

Si un vagabond traînait ses guenilles jusque dans ce havre de paix, il crierait à la Terre promise. Il entasserait ses chiffons au pied d'un arbre, jetterait sept pierres à tous les horizons pour faire de chaque clairière une patrie et de chaque grotte un mausolée.

Accroché aux branches d'un saule pleureur, un drap soyeux pendouille. En berne.

Puis, à l'ombre d'un rocher, parmi des couronnes de fleurs sauvages, repose une jeune fille. Nue de la tête aux pieds. Et belle comme seule une fée échappée d'une toile de maître sait l'être. Elle est à moitié couchée sur le flanc, le visage tourné vers l'est, un bras en travers de la poitrine. Ses grands yeux soulignés au rimmel sont ouverts, le regard captif de longs cils qui ont dû déclencher tant d'émotion. Merveilleusement maquillée, les cheveux constellés de paillettes, les mains rougies au henné avec des motifs berbères jusqu'aux poignets, on dirait que le drame l'a cueillie au beau milieu d'une noce. Elle gît sur la berge d'une rivière à sec, le corps désarticulé, inattentive à la rumeur naissante des broussailles, nullement affectée par la reptation de la couleuvre qui vient de se faufiler sous sa hanche.

Dans ce décor de rêve, tandis que le monde s'éveille à ses propres paradoxes, la Belle au bois dormant a rompu avec les contes. Elle a cessé de croire au prince charmant. Aucun baiser ne la ressusciterait.

Elle est là, et c'est tout.

Fascinante et effroyable à la fois.

Telle une offrande sacrificielle...

2.

Ah ! Alger...

Blanche comme un passage à vide.

Elle n'est plus qu'une ruine mentale, pense Ed Dayem en retrouvant la mythique capitale enlisée jusqu'au cou dans ses propres vomissures. Ah ! Alger, Alger... Inscrits aux abonnés absents, ses saints patrons se cachent derrière leurs ombres, un doigt sur les lèvres pour supplier leurs ouailles de faire les morts ; quant à ses hymnes claironnants, ils se sont éteints dans le chahut d'une jeunesse en cale sèche qui ne sait rien faire d'autre que se tourner les pouces au pied des murs en attendant qu'une colère se déclare dans la rue pour saccager les boutiques et mettre le feu aux édifices publics. Hormis une minorité de snobinards qui emprunte à Paris ses pires défauts, c'est l'abâtardissement métastasé. Même le vice s'effiloche dans la platitude ambiante, et les allumeuses, qui d'habitude faisaient courir les culs-de-jatte, sentent les draps mortuaires et la sueur fauve des mauvaises passes.

Répandu sur la banquette arrière du taxi qui le ramène de l'aéroport, Ed Dayem écoute gargouiller ses tripes. Son malaise s'est déclaré à l'instant où il est monté dans l'avion et a empiré au fur et à mesure de l'approche des côtes algériennes. Les antidépresseurs qu'il consomme à l'envi n'ont plus d'effet sur lui. Chaque fois qu'il rentre au pays, il a le sentiment du meurtrier retournant sur les lieux de son crime.

Pourtant, Ed Dayem n'est pas n'importe qui. Lorsqu'il porte la main à sa poche, on entend remuer sénateurs, députés, magistrats, maires et un tas de notables comme de la petite monnaie dans la tirelire d'un enfant gâté. Mais en Algérie, aucun dieu n'est tout à fait à l'abri.

Pour tempérer ses angoisses, Ed se met à s'intéresser au chauffeur du taxi, un petit bonhomme geignard, au teint olivâtre, enserré dans un costume ridicule qu'on croirait chipé à un clochard. C'est vrai qu'au pays on ne sait plus s'habiller, mais ces dernières années, les gens exagèrent. On traîne des sandales à longueur de journée, on porte le kamis du vendredi au vendredi et on se rend aux enterrements en jogging. L'éthique a fichu le camp ; plus personne ne semble s'apercevoir de la régression qui est en train de squatter les esprits.

Ed Dayem se concentre sur la nuque devant lui, frêle et grotesque, avec des pellicules plein le col. C'est une nuque brisée, usée, tassée sous le poids d'une tête saturée de tracasseries et de rancœurs en gestation permanente.

Le chauffeur râle. À ses lunettes de myope et à son français sans accent, on devine l'universitaire fauché qui aurait préféré une licence de taxi au diplôme infécond. Dans un pays où les décideurs s'évertuent à construire une villa à leurs rejetons là où il est question de leur bâtir une nation, il n'est pas rare de rencontrer des talents chevronnés trimer au fond des gargotes afin de joindre les deux bouts...

Ed chasse d'une main ses pensées en train de dériver et jette un coup d'œil au tableau de bord sur lequel est scotchée la photo d'une petite gamine aux tresses sévères. La fillette sourit, mais son regard ne suit pas ; on devine la frustration qui opère en arrière-plan.

La tendresse est, par les temps qui courent, une façon comme une autre de manger son pain nu à la fumée des barbecues ; si ça ne nourrit pas son homme, ça l'aide à tenir.

À côté de la photo, une notice plastifiée prie les passagers de ne pas fumer avec, en guise d'avis destiné aux analphabètes, le dessin d'une cigarette frappée d'un sens interdit. La boîte à gants bousillée déborde de fils électriques entremêlés. Rayé par des essuie-glaces hors d'usage, le pare-brise offre une visibilité discutable. Un chapelet de pacotille, probablement rapporté de La Mecque, pendouille du rétroviseur, les grains écaillés. La voiture, bien que récente, grince de tous les côtés. Construite dans des pays nullement obligés de se conformer aux normes européennes et exclusivement destinée aux nations de basse envergure, cette gamme de véhicules bon marché a envahi l'Algérie, ce qui explique pourquoi le pays enregistre l'un des plus importants taux d'accidents de la circulation au monde.

Le chauffeur n'est pas content. Il n'arrête pas de grognasser contre les bolides qui le dépassent et contre les guimbardes polluantes qui claudiquent sur la chaussée.

— C'est pas possible, fulmine-t-il. Ou ils se croient en formule 1, ou bien dans un cortège funèbre. Rouler normalement, ils ne savent pas ce que c'est.

En réalité, le chauffeur est furieux parce que l'équipe nationale de football a reçu une mémorable raclée, la veille, compromettant ainsi ses chances de qualification pour la Coupe d'Afrique. À l'aéroport, tout le monde affichait profil bas et les douaniers, d'habitude très regardants, daignaient à peine renifler les bagages. Lorsque El-Khadra[1] rate le coche, la nation entière est endeuillée.

— Pourquoi n'engage-t-on pas un entraîneur étranger ? gémit le chauffeur en étreignant son volant comme s'il tordait le cou au président de la FAF. Notre équipe nationale est le seul bonheur qui nous reste.

Il interpelle son passager dans le rétroviseur :

— Vous avez vu le match, frangin ? 4 à 0. La honte du siècle !... Ce n'étaient pas des athlètes, c'étaient des majorettes. Je n'arrive pas à croire que nous ayons été au Mondial avec cette bande de zazous platinés. Il paraît qu'après la rencontre, ils sont partis s'éclater en boîte. Vous vous rendez compte ? Et nous, dans tout ça, nous, le petit peuple, on compte pour des prunes. Nous n'avons plus droit au rêve. Nous n'avons que cette équipe pour oublier notre malheur. C'est notre sédatif, notre soin palliatif. Alors, pourquoi nos gouvernants ne font rien pour nous rendre la mort moins chiante que la vie ?

Ed Dayem ne répond pas. Il reluque la nuque tailladée et tente de lui trouver un attrait. Le chauffeur continue de jaser. Sans arrêt. À croire qu'il a gobé une radio. Il est en colère contre le ciel, la terre, les hôpitaux, les tribunaux, les vigiles, les partis, les consulats qui refusent de lui délivrer un visa, la cherté des médicaments...

— Tu connais Shiva ? lui demande Ed, à bout.

— Qui est-ce ?

---

1. « Les Verts », nom de l'équipe nationale de football.

— Une déesse hindoue.

— Je ne vois pas le rapport.

— J'y arrive... Shiva disait que, lorsque le vent souffle dans les arbres, il dérange les feuilles sur les branches et ça rend nerveux les oiseaux.

— Et alors ?

— Ce que j'essaye de te dire, bonhomme, est que même si tu ne souffles pas dans les arbres, tu me soûles.

Le chauffeur acquiesce de la tête. Une centaine de mètres plus loin, digérant mal le rappel à l'ordre de son client, il visse une cigarette au coin de sa bouche et se penche sur l'allume-cigare, perdant de vue le trafic.

— C'est pas interdit ? observe Ed en faisant allusion à la notice sur le tableau de bord.

— Uniquement pour les passagers, précise le chauffeur. Si ça vous dérange, j'arrête. Chaque fois que je pense au match d'hier, j'ai envie de m'asperger d'essence et de provoquer une révolution.

Brusquement, un chien surgit au milieu de la chaussée. Le chauffeur a juste le temps de braquer pour l'éviter. Il freine d'un bloc, redresse le volant ; la voiture se déporte sur le côté dans un terrifiant crissement de pneus, quitte le bitume, patine sur la terre battue et revient tanguer sur la route.

L'espace d'une fraction de seconde, Ed Dayem voit sa vie défiler devant lui. Catapulté contre la portière, il s'agrippe au dossier d'un siège pour ne pas se briser le cou.

— Ça ne va pas ? hurle-t-il, la figure exsangue.

— Désolé, *kho*[1]. Il y a trop de chiens errants qui ne traversent pas au passage clouté.

---

1. « Frérot » (jargon algérois).

— En plus, tu fais de l'esprit... Encore un coup de volant de cette nature, et c'est moi qui te roulerai dessus avec ta propre tire.

Le chauffeur promet de faire attention.

Ed Dayem le considère avec mépris, puis, le chauffeur se remettant à pester à droite et à gauche, il se ressaisit. La brusque montée d'adrénaline provoquée par le dérapage a supplanté l'angoisse qui lui entortillait les tripes. Recouvrant son souffle, il se tasse au fond de la banquette et grommelle :

— Tâche de me déposer entier, compris ?

Trop occupé à conjurer ses vieux démons, le chauffeur ne l'entend pas.

3.

La commissaire Nora Bilal s'accroupit devant le cadavre de la jeune fille au fond du ravin, joint les doigts autour de la bouche et plisse les yeux pour réfléchir. Elle est triste, mais nul ne saurait dire si c'est à cause de la jeunesse de la morte ou du gâchis qu'elle lègue aux vivants.

La quiétude de la forêt de Baïnem contraste avec la rigidité de la dépouille. Les agents, qui s'affairent çà et là, semblent errer dans un monde parallèle.

— On dirait une jeune mariée, dit le lieutenant Guerd.

— Ouais... soupire la commissaire. Je veux la liste de tous les mariages qui ont été célébrés ces deux derniers jours à Alger et dans les parages. Il faut vérifier auprès des hôtels et des salles des fêtes.

— Tous les mariages ? fait le lieutenant, estomaqué.

— Tous, martèle la commissaire. Sans exception. Je veux savoir si une mariée ou une de ses demoiselles d'honneur a disparu. Il est évident que cette pauvre créature a été ravie au beau milieu d'une noce.

— Alger n'est pas un hameau, tente de protester le subalterne.

— C'est votre problème, le coupe sèchement la commissaire. Je veux la liste au plus tard demain avant 16 heures, sur mon bureau.

Le lieutenant déglutit, une lueur féroce dans les yeux. La susceptibilité à fleur de peau, il regarde les agents occupés à relever les indices et à photographier les traces suspectes ; personne ne semble s'intéresser à lui.

Guerd se racle la gorge, tente de soutenir le regard incandescent de son supérieur avant de se détourner.

Satisfaite d'avoir remis son second à sa place, Nora se penche de nouveau sur la dépouille. Des entailles et des griffures plus ou moins superficielles sabrent les épaules, le dos et les cuisses de la morte. Le genou gauche est largement écorché et hérissé de brindilles. La jambe droite est cassée en deux à hauteur du tibia, la fracture ouverte. Cependant, ce qui intrigue la commissaire est la vilaine blessure sur la poitrine : un sein est arraché.

— Vous pensez qu'elle s'est ouvert le nichon dans la dégringolade, commissaire ?

Nora n'apprécie pas le langage de son subordonné. Elle se contente d'ébaucher une moue.

— Son corps a souffert de la chute, dit-elle. Mais la plaie sur la poitrine est trop importante. Ce n'est pas la signature d'un objet contondant et ce n'est pas non plus celle d'un choc. La chair est retournée vers l'extérieur. On dirait une profonde morsure. Un chien errant, peut-être...

— Ou un chacal de lait.

— Vous confondez cynisme et humour, lieutenant. Et la situation ne se prête ni à l'un ni à l'autre.

— Ce n'est pas interdit de faire de l'esprit.

— À condition d'en avoir un.

Nora se redresse pour faire face à son subordonné. C'est une grande dame brune, les cheveux coupés court et les yeux alertes. De dos, on la prendrait pour un homme. La cinquantaine révolue, les épaules tombantes, elle n'en demeure pas moins belle et encore désirable. Dans l'unité qu'elle commande depuis plus de deux ans, constituée en partie d'obsédés sexuels et de têtes brûlées, elle suscite autant de méfiance que de fantasmes. Dans une société phallocentrique, être femme et diriger des hommes relèvent aussi bien du supplice sisyphéen que du casse-tête chinois. Combien de fois n'a-t-elle pas surpris un subalterne en train de lui mater le derrière pendant qu'elle ouvrait la marche ? Combien de fois sa poitrine opulente n'a-t-elle pas distrait les collègues en plein briefing ? Les sanctions réussissent à calmer un ou deux pervers pendant une semaine, puis le naturel revient au galop. Nora sait que le moindre fléchissement dans ce genre de rapport humain est une mise en abyme. Hélas, on ne lutte pas contre certaines pathologies. Le machisme a la peau aussi dure qu'une carapace et aussi verrouillée qu'une camisole. À la longue, ça use, et on fait avec. En Algérie, un adage atteste que les têtes de mule viennent souvent à bout des durs à cuire. Nora le constate à ses dépens tous les jours. Elle a beau engueuler, consigner, mettre à pied et verbaliser, elle ne fait que rendre la récidive plus hardie. Le lieutenant n'a pas utilisé le mot *nichon* par hasard. Chaque propos déplacé est intentionnel. Il s'inscrit dans une forme de harcèlement psychologique savamment calibré. Au bout d'un certain temps, la patience la plus ferme s'étiole et on accède à une sorte de renoncement salutaire : on se dit que c'est ainsi, et c'est tout ; si ça ne résout pas le problème, ça amortit les vacheries qui en découlent.

Le brigadier Tayeb s'amène avec un sachet. Il est trapu, mal fagoté, mal rasé ; ses godasses n'ont pas reçu un coup de brosse depuis leur acquisition. Nora l'aime bien. Certes, il ne paie pas de mine, cependant, il est obéissant et efficace, et il s'acquitte de sa tâche avec beaucoup de professionnalisme. Parce qu'il est consciencieux, ses collègues ne le ménagent guère. Pour eux, il n'est qu'un lèche-cul qu'une « gonzesse » gradée fait marcher à la trique.

— On a trouvé les bris d'un feu arrière sur le bord de la route. Le chauffeur a dû heurter quelque chose avec son véhicule en manœuvrant à proximité du ravin.

— Il y a aussi les traces de pneu sur le bas-côté.

— Trop minces pour les mouler, précise le brigadier. Mais on a pris les mesures. Vu la largeur des empreintes, il pourrait s'agir d'un 4 × 4 ou d'une grosse cylindrée.

— N'oublie pas le drap accroché à l'arbuste. Il a sans doute servi à envelopper le corps. Charge quelqu'un de le récupérer en veillant à ne pas fausser les hypothétiques traces d'ADN qui pourraient s'y trouver.

— Entendu, commissaire.

— On n'a pas de témoins ?

— Non, intervient le lieutenant en congédiant le brigadier. C'est un garde-forestier qui a trouvé le macchabée...

Nora ne l'écoute pas. Elle lève les yeux sur la route bitumée où des voitures de police rongent leur frein, les gyrophares allumés, déplore l'agitation des flics en train de fouler les maigres indices sur les lieux du crime. Plus près, les brancardiers et le chauffeur de l'ambulance rigolent en fumant comme des brutes. Le plus petit, maigre et nerveux, est en train de raconter sa soirée arrosée :

— Il y avait une grosse masse de viande devant moi, un sacré tas de saindoux qui puait des aisselles. Il schlinguait si fort que j'avais mal aux yeux. Des gars se payaient sa tête : « Casse la baraque, Jimi Hendrix », qu'ils lui criaient, et lui, il se prenait vraiment pour une star. Il secouait sa toison dans tous les sens et se cabrait en grimaçant horriblement. Sa pauvre guitare déglinguée hurlait entre ses pattes comme un suspect que cuisine un barbouze. Et je vous jure, à chaque fausse note qu'il balançait à tort et à travers, j'avais l'impression qu'on m'arrachait un poil de cul avec une pince.

Ses compagnons se tordent de rire. La proximité du cadavre ne les dérange pas. Ils en ont vu d'autres, des milliers d'autres durant la décennie noire et sur les routes prises d'assaut par les chauffards et les ivrognes. Pour eux, un corps sans vie, intact ou amoché, est un objet qui n'est pas à sa place ; leur boulot est de le remettre là où il doit être, dans le casier d'une chambre froide. La routine a avachi leur âme. Ils ne sont plus que des automates ; leurs rires sonnent comme le grincement d'un engrenage qu'on oublie de graisser.

Nora lève de nouveau la tête vers la route, s'attarde sur la langue de terre donnant sur le précipice, tente d'imaginer la trajectoire du cadavre que, de toute évidence, on a dû balancer à partir de cet endroit. Le ou les malfaiteurs auraient visé le précipice, sur la gauche, difficile d'accès ; si le cadavre était tombé dans la grosse touffe de végétation quinze mètres plus bas, personne ne l'aurait découvert. Apparemment, en se prenant dans les arbustes, le drap a libéré le corps, déviant sa trajectoire initiale sur la droite. Le cadavre a rebondi sur la bosse de terre, dévalé un sentier de chèvre avant de s'écraser au pied du rocher. Dans l'obscurité, le ou les malfaiteurs ne l'auraient pas remarqué ou peut-être étaient-ils pressés de déguerpir.

— Il y a une cabane à quelques centaines de mètres, dit le lieutenant. On pourrait y aller et demander si quelqu'un a vu ou entendu quelque chose.

— Ouais, répond la commissaire sans conviction avant de faire signe aux ambulanciers d'évacuer le corps de la jeune fille.

Le lieutenant se gratte l'entrejambe et, outré, regagne son véhicule de service en maugréant « Ouais, ouais... ».

4.

Le taxi se range devant une sorte de manoir dressé au milieu d'un grand jardin parsemé de palmiers. Par la grille en fer forgé, on peut voir un jet d'eau en stuc, une allée recouverte de gravillons roses et bordée d'hortensias ; sous une voûte de feuillages, un perron en granit menant sur une véranda aux balustrades repeintes de frais. Un Noir enturbanné arrose les plantes ; avec sa robe satinée et ses babouches, on le croirait sorti d'un conte des *Mille et Une Nuits*.

Ed Dayem contemple un instant la belle propriété – qui fut la résidence officielle d'un gouverneur français dans une vie antérieure – avant de sauter sur le trottoir. Il sort de sa poche deux billets de banque et les tend au chauffeur de taxi :

— Garde la monnaie.

— Quelle monnaie, frangin ? s'écrie le chauffeur. Y en a à peine pour quatre-vingts centimes.

— Gardez-les quand même. Dieu me les rendra.

— Je vais faire comment pour payer un lifting à ma femme ?

— Remarie-toi, bonhomme. Ça te coûtera beaucoup moins cher.

Après le départ du taxi, Ed Dayem sonne à la grille. Un autre Noir, habillé en valet de calife, vient lui ouvrir. Ed Dayem s'est toujours demandé pourquoi certains nababs d'Alger choisissent souvent des Noirs pour domestiques. Est-ce par réflexe atavique ou par souci de standing ? Peut-être pour les deux à la fois.

— Bonjour, sy Dayem, roucoule le valet en ouvrant la grille et en s'inclinant obséquieusement.

— Bonjour, Marouane. Le patron m'attend.

— Je suis au courant, monsieur. Je vous prie de me suivre.

Ed Dayem connaît l'ensemble de la valetaille de haj Saad Hamerlaine : le cuisinier, le chauffeur, le jardinier, le gardien et le factotum, tous les cinq originaires de la région de Touggourt, dans le Grand Sahara ; des Noirs issus de franges défavorisées prêts à n'importe quelle corvée pour avoir quelque chose à se mettre sous la dent. Ce ne sont pas des descendants d'esclaves, mais d'authentiques fils du désert dont les ancêtres, preux et érudits, ont connu des époques glorieuses avant que la misère et l'abâtardissement viennent fausser leurs repères et les livrer corps et âme aux fourberies du cosmopolitisme. Mais là est une autre histoire...

Ed Dayem a toujours un frisson lorsqu'il pénètre dans l'immense demeure de haj Saad Hamerlaine. Il a l'impression de s'aventurer dans un labyrinthe hanté d'esprits frappeurs et pavé de trappes abyssales. Même les lumières du jour semblent se garder de s'y hasarder. À peine l'allée et la véranda dépassées, une obscurité s'installe dans les esprits et refuse de battre en retraite. Ed ne se souvient pas d'avoir vu un lustre ou une lampe allumés à l'intérieur.

Le valet se dépêche le long d'un couloir jalonné de vases colossaux, de commodes en marbre et de miroirs imposants.

Occupé à peaufiner ses pièges avec la patience implacable d'une araignée, Hamerlaine ne sort que très peu. Pour mieux vivre en autarcie, il a ramené l'univers chez lui et a même installé un bloc opératoire ultramoderne au sous-sol, équipé d'un appareil de dialyse, d'un cabinet dentaire, et une salle de gym. Haj Hamerlaine ne se contente pas d'être un super-citoyen exonéré d'impôts, il s'autorise à racler le fond du Trésor public autant de fois qu'il le souhaite. En Algérie, on appelle ce privilège la « légitimité historique ».

Les deux hommes arrivent devant une porte en ébène. Le valet cogne dessus, attend un instant avant d'ouvrir et de s'effacer.

Ed Dayem doit aller chercher au plus profond de son être le courage de franchir le seuil de la salle qui semble vouloir l'engloutir.

Le bureau de Hamerlaine est vaste, avec de hauts plafonds et des parois recouvertes de boiseries nobles parées de tableaux de maîtres empruntés au musée national depuis si longtemps que plus personne ne songe à les réclamer. Des étagères surchargées de reliures et d'encyclopédies tapissent les trois quarts des murs... Hamerlaine n'a jamais mis les pieds dans une école, mais il a su remédier à ses lacunes dès que ses fonctions officielles lui ont permis de s'offrir des cours de rattrapage à domicile dispensés par des professeurs émérites. Doté d'une intelligence hors norme et d'une mémoire phénoménale, il n'a pas tardé à supplanter ses maîtres. En s'éveillant à la lecture, il a développé une boulimie livresque telle qu'il ne peut trouver le sommeil sans dévorer la moitié d'un ouvrage chaque nuit. Son érudition spectaculaire fait de lui une référence intellectuelle de premier ordre. Le problème, pense Ed Dayem, est que son instruction n'a pas réussi à le grandir, encore moins à le débarrasser de cette mentalité rétrograde qui consiste à nuire à tout ce qui lui déplaît. Hamerlaine connaît aussi bien saint Augustin que Confucius, mais pour des raisons pratiques, il leur préfère de loin Kim Il-sung et Clausewitz car, chez lui, la guerre et la révolution sont deux constantes qu'il faudrait réinventer jusqu'à ce que mort s'ensuive.

Il fait froid dans la pièce. On entend à peine un climatiseur ronronner dans le mutisme des meubles austères achetés chez des antiquaires parisiens.

Ed Dayem reste debout pendant une bonne minute sous un lustre digne d'une basilique, les pieds sur un tapis persan, visiblement intimidé. N'ayant jamais réussi à s'expliquer cette angoisse pernicieuse qui le gagne dès qu'il est convoqué par un *rboba*[1], il se contente de la subir telle une grossesse nerveuse.

En Algérie, il n'est pas nécessaire de fauter pour recevoir le ciel sur la tête. Souvent, le destin ne tient qu'à une saute d'humeur, et la vie à un simple *coup de fil...*

Ed Dayem s'empare de son mouchoir et entreprend de s'essuyer le front, le cou et les commissures de la bouche. Sa gorge s'est desséchée et son souffle commence à cafouiller.

1. « Décideur de l'ombre ». A la particularité de nager dans les eaux troubles sans jamais se mouiller.

Quelque chose remue au fond de la salle. C'est le siège derrière le bureau qui pivote sur lui-même. Haj Hamerlaine fait face à son visiteur.

— Tiens, vous êtes déjà là, déclare-t-il. Je ne vous ai pas entendu arriver.

Ed sait que le vieillard ment. Ce dernier l'a volontairement fait poireauter, histoire de le mettre sous pression. Il se conduit de la sorte avec tout le monde. Comme il reste délibérement derrière son bureau pour ne pas devoir serrer la main à ses interlocuteurs. Le vieux est hypocondriaque. Ce n'est pas par folie des grandeurs qu'il s'est choisi, en guise de barrière entre lui et les autres, un bureau aussi vaste qu'un tableau de bord de navire. Avec un tel dispositif, il est certain qu'aucun bras n'est assez long pour se tendre jusqu'à lui.

Haj Hamerlaine traite ses plus proches collaborateurs de la même façon. Du menton, il leur désigne une chaise à bonne distance, leur accorde quelques instants de son précieux temps et les congédie aussitôt après sans leur offrir une tasse de café et sans se donner la peine de les raccompagner.

Ed Dayem incline légèrement la tête pour saluer le maître de céans.

— J'aurais dû tousser dans mon poing pour vous réveiller, plaisante-t-il pour se donner du cran.

— Les dieux ne dorment jamais, rétorque Hamerlaine.

— Je ne voulais pas vous offenser.

— Il m'arrive d'absoudre certains péchés, mais rarement l'insolence.

Ed Dayem est sur le point de s'écrouler. Il savait que sa retraite en Espagne allait être perçue comme un abandon de poste, pis, comme une défection. Et les rboba ont horreur des déserteurs. Et lorsque les rboba sont en colère, les tonnerres et les ouragans font piètre figure. N'importe quel larbin en hautes sphères vous certifierait, preuve à l'appui, que le baiser d'un rboba est aussi mortel que la morsure de dix cobras.

Ed Dayem s'appuie contre le dossier d'une chaise et tente de discipliner sa respiration.

— Asseyez-vous donc, Eddie. Ça vous évitera de gerber sur mon tapis.

Ed Dayem se dépêche d'occuper un siège. Une seconde de plus, et la terre se serait dérobée sous ses pieds.

— Eddie, mon pauvre Eddie, lui dit le vieillard d'une voix où se mêlent le reproche et la lassitude, j'étais à deux doigts de louer un drone au Pentagone pour vous localiser.

— J'avais besoin de décompresser.

— Ce n'est pas une raison pour ne laisser aucune adresse où vous joindre. Vous êtes un gros patron de presse, et on ne dirige pas ses journaux par télépathie. Les choses mutent sans arrêt et exigent un traitement approprié immédiat. Il y a péril en la demeure, monsieur l'Information, et le « printemps arabe » n'arrange rien à rien.

— Je vous assure que je n'étais pas bien du tout, couine Ed, conciliant. J'étais saturé. Il me fallait prendre du recul.

— Allons donc, on ne recule plus de nos jours, on régresse. Et si vous voulez mon avis, ne vous laissez pas rattraper car vous avez un tas d'emmerdes aux trousses.

— Quelles emmerdes ?

— Moi ! tonne le vieillard.

Ed Dayem manque d'avaler sa salive de travers.

Le vieillard tapote sur le verre de son bureau avec son doigt boudiné pour marteler ses propos :

— J'ai horreur de sonner mes plantons et de ne pas les voir rappliquer avant de ranger ma clochette.

Haj Hamerlaine paraît aussi vieux que le vice. L'érosion des ans ne lui a laissé qu'une fine pellicule blafarde en guise de peau. Les yeux enfoncés plus profond que ses arrière-pensées, le nez tel un fanion en berne au milieu de sa face de carême, il évoque une momie fraîchement désincrustée de son sarcophage. Ed Dayem jurerait que le vieillard passe ses nuits à se conserver dans une baignoire remplie de formol et ses jours à sécher sur son trône de dieu intérimaire, refusant crânement d'abdiquer devant l'âge et le poids de ses péchés. Mais il sait surtout que ce bout de ruine humaine, ce petit vieillard au teint de poussière, est capable de provoquer un tsunami rien qu'en éternuant.

— Ça ne se reproduira pas, je vous le promets.

— Vous n'aurez pas l'occasion de le regretter, la prochaine fois, Eddie. Est-ce que vous m'avez bien compris ?

— Cinq sur cinq, monsieur.

— Voilà qui est réglé.

Ed Dayem ramène sa jambe droite sur son genou gauche pour avoir l'air décontracté. En réalité, c'est l'unique position qu'il a trouvée pour empêcher ses boyaux de se répandre par terre. Il respire un bon coup, si fort que ses poumons manquent d'exploser, et, le cœur battant la breloque, il attend que le vieillard déporte son regard reptilien ailleurs pour pouvoir desserrer le nœud de sa cravate.

— Vous voulez boire quelque chose, Eddie ?

Ed Dayem reçoit la proposition comme une absolution, mais il s'estime trop fragilisé pour la mériter.

— Une vodka lemon ?

— Non, merci.

— Vous m'avez l'air sur le point de tomber dans les pommes.

— C'est le voyage, monsieur. L'avion a traversé pas mal de zones de turbulences.

— J'imagine. Sauf que j'ai besoin de toute votre attention. Ça m'éviterait de devoir me répéter.

— Je suis tout ouïe, monsieur.

— À la bonne heure, mon cher Eddie, à la bonne heure.

Hamerlaine extirpe d'un tiroir une bouteille de vodka et un verre, et se sert une rasade qu'il avale cul sec. Ed Dayem croit saisir une chance pour détendre l'atmosphère. Il dit :

— Vous vous êtes remis à boire ?

— Je vais me gêner.

— Vous ne devriez pas.

— Et pourquoi donc ?

— Vous revenez de La Mecque, purifié, lavé de tout. Le Seigneur...

— Il faut donner à Dieu sa part et garder le reste pour soi.

Ed Dayem s'écrase.

Un silence insoutenable s'installe entre les deux hommes.

Le vieillard joint ses doigts de furet sous son menton et dévisage longuement son visiteur. Il raconte tout de go :

— Si Emma était encore de ce monde, je la couvrirais d'or.

— Emma ?

— Une tenancière que j'ai connue dans les années 1950. Je lui dois ce que je suis devenu. Le problème, c'est qu'elle ne m'a jamais donné l'occasion de placer un mot, ne fût-ce que pour lui dire merci. « N'oublie pas que c'est moi qui t'ai sorti du caniveau, qu'elle hurlait. Tu n'étais qu'un poivrot dégoulinant de rinçure que les barbeaux repoussaient du pied comme un chien teigneux. Tu me dois TOUT, ta chemise et ton pantalon, jusqu'au caleçon que tu laves une fois par saison. » Elle me jetait ça à la figure chaque fois que je rechignais sur la corvée ou réclamais mon dû. Et lorsque je demandais un jour de congé, elle braillait : « Pour aller où, crétin ? Retrouver tes copains sous les ponts ? » Elle n'était pas méchante, Emma, elle était possessive et méprisante. Sans elle, j'aurais continué à psalmodier sur une marche d'escalier, sous un soleil de plomb, ou encore à chicaner avec ces armées de culs-de-jatte revenus de la guerre sans médailles et sans repères et qui pourrissaient au fond des portes cochères, au milieu de leurs chiffons et de leurs crottes.

Haj Hamerlaine contourne son bureau et, les mains derrière le dos, il va se dresser face à un grand tableau de maître représentant une mer en furie. Il reste là quelques secondes, plongé dans ses souvenirs. Dans le silence de la pièce, sa respiration oppressée rappelle le chuintement d'une canalisation fissurée. Sans se retourner, il poursuit :

— Emma avait bon fond malgré ses humeurs massacrantes. Elle gérait son bordel d'une main de fer. Ses putains ressemblaient à des ogresses en chaleur. Il m'arrive encore d'entendre leurs rires de succubes. Elles se moquaient de leurs clients aux éjaculations précoces, en majorité des troufions mal dressés. C'était une époque assez pénible pour le factotum que j'étais, mais elle avait ses excuses.

Il s'appuie d'une main sur une commode et pivote lentement sur ses vieilles jambes que l'on devine squelettiques sous le pyjama. Ses yeux luisent d'une lointaine jubilation qui met aussitôt mal à l'aise Ed Dayem. Ce dernier a appris à déceler, chez le vieillard, ces instants dérangeants où les évocations s'enfiellent, systématiquement. Ce sont des moments d'une rare violence où, même simulé, le sourire garde intacte sa part de morsure.

En Algérie, lorsqu'un révolutionnaire autoproclamé convoque le passé, il ramène avec lui et sa furie et l'envie d'en découdre, ainsi qu'une souffrance obscure faite de blessures jamais refermées, d'interrogations toujours sans réponse et de méfaits non expiés.

Sans s'en rendre compte, Ed Dayem ressort son mouchoir et se remet à s'éponger avec, les yeux chevillés au rictus énigmatique distordant les lèvres du vieillard.

— Vous savez, Eddie ? Il n'y a qu'une seule façon d'être redevable à quelqu'un : lui rendre ce qu'il vous a prêté, avec des intérêts, dans la mesure du possible. Mais si vous en êtes incapable, faute de moyens, tandis que le bienfaiteur vous rappelle sans répit, au risque de vous traumatiser, que vous lui devez tout, il vous oblige à recourir à des procédés radicaux : soit le subir quitte à vous diluer dans son crachat, soit le faire taire à jamais. C'est ce qui m'est arrivé avec Emma. Je ne voyais que la bave sur sa bouche orageuse, que le feu de ses prunelles éclatées, et ce doigt qui me désignait comme si j'étais la lie de l'humanité. Personne ne survit vraiment à l'humiliation, Eddie. Personne, pas même les moins que rien. Nous avons tous, enfouie pour certains, à fleur de peau pour les autres, cette chose qui nous singularise et qu'on appelle vulgairement l'orgueil. C'est un peu notre boîte de Pandore. Il suffit de le provoquer pour déclencher un désastre. Aussi, quand le FLN a jeté l'anathème sur les vices et s'est mis à traquer les maquereaux et les soûlards, je suis monté dans la chambre d'Emma et je l'ai saignée comme une truie avec mon canif rouillé. Je venais de faire d'une pierre deux coups : je me suis débarrassé d'une créance trop lourde pour moi et j'ai acheté mon billet pour le maquis, et les combattants pour la liberté m'ont reçu en héros... Aujourd'hui encore, je me demande ce qu'il serait advenu de moi si Emma m'avait traité autrement. Une chose est sûre, je n'aurais pas été obligé de rejoindre les maquisards et j'aurais continué de décapsuler les bouteilles de bière derrière mon comptoir crasseux au milieu d'un harem de putains couinantes et de branleurs à la tire trop complexés pour s'offrir une petite amie à l'air libre.

— Pourquoi me racontez-vous cette histoire, monsieur ?

— Pour que je ne sois pas obligé de vous rappeler ce que j'ai fait pour vous. J'ai envie de finir sur mon lit de vieillard, entouré de mes trophées et de mes plus fidèles courtisans.

— Jamais je n'oserais lever la main sur vous.

— Je crains que vous n'ayez pas le bras assez long pour m'atteindre. Mais en homme averti, je sais que les vipères n'ont pas besoin de grand-chose pour sévir.

— Ainsi, je ne suis qu'une vipère à vos yeux ?

— Si vous étiez un orang-outan, ça se verrait.

Ed Dayem accuse le coup avec philosophie. En trente ans de flirt avec les dinosaures de la République, il n'a jamais réussi à accéder à leur caste. Sa fortune colossale et ses relations tentaculaires ne suffisent pas. Les rboba sont un huis clos, un dédale périlleux pour les non-initiés. Ed les connaît tous, connaît leurs parcours pavés d'ossements humains, de pièges mortels et de trésors cachés, leurs modes opératoires et leur diablerie qui dispose d'une longueur d'avance sur celle de leurs ennemis, cependant, à aucun moment il n'a gagné leur confiance. Jaloux de leur pouvoir et de leurs loges opaques, ils le maintiennent à la périphérie de leurs complots, ne le sollicitant que pour préserver leurs acquis avant de le congédier comme un vulgaire larbin.

Ed Dayem n'aime pas être traité de la sorte, mais la peur que lui inspirent les seigneurs d'Alger ne laisse place ni aux états d'âme ni à l'amour-propre. Il doit prendre son mal en patience, seule et unique façon de se mettre à l'abri du malheur. Un syndicaliste notoire avait écrit sur le mur de sa cellule, une semaine avant de se pendre dans un asile de fous où l'avait conduit sa rectitude : *Je m'arrache. Les rboba d'Alger ne crèveront jamais. Lorsqu'il n'y aura plus d'étoiles dans le ciel, lorsque le soleil s'éteindra, lorsque les dieux rendront l'âme, les rboba seront toujours là, trônant sur les cendres d'un monde disparu, et ils continueront de comploter contre les ténèbres, de mentir à leurs propres échos, de voler de leur main gauche leur main droite et de poignarder leurs ombres dans le dos.*

— Vous êtes trop injuste, monsieur.

— Nous avons toujours joué cartes sur table.

— Qu'attendez-vous de moi ?

— Voilà une question raisonnable.

Hamerlaine s'empare d'un journal sur son bureau et le balance en direction de son visiteur :

— C'est encore ce crétin d'Amar Daho...

Ed Dayem attrape au vol le journal et se met à le parcourir avec fébrilité. La photo d'Amar Daho s'étale à la une, suivie d'une tribune de deux pages.

— Je croyais vous avoir invité à toucher deux mots aux patrons de presse pour que ce fumier ne fasse plus parler de lui.

— Ils sont libres de gérer leurs journaux à leur guise. Ce ne sont pas nos amis, mais nos concurrents. Tous ont besoin de polémiques et de scandales pour vendre leurs papiers. Il n'y a que ça qui marche.

— Ce n'est pas mon problème. Arrangez-vous pour que personne ne tende la perche à ce fumier.

— Il va falloir leur graisser la patte.

— Graissez-leur la patte, le fion, les articulations, n'importe quoi, et que ce Daho ne trouve de perchoir nulle part. Je ne veux plus l'entendre respirer.

— Ce n'est qu'un tocard, voyons. Sa voix ne porte pas plus loin qu'un jet de salive. Il ne vaut même pas la peine qu'on s'essuie les godasses dessus. C'est juste un pet sur un court de tennis.

— Il pollue mon air.

— Normal, pour une charogne sans sépulture. Il a été ministre, et vous l'avez déchu. Il a été fortuné, et vous l'avez ruiné. Il avait ses réseaux, et vous ne lui avez laissé que les yeux pour pleurer. Même avec un scaphandre sophistiqué, on n'atteindrait pas le fond où vous l'avez jeté.

— Ce n'est pas assez. Je veux qu'on lui cloue le bec une fois pour toutes. Il y a une semaine, il a publié une tribune dans un magazine étranger et s'est invité sur un plateau d'Al-Jazira. Deux jours après, il revient avec un réquisitoire tonitruant, criant à qui voudrait l'entendre qu'il est victime de sa compétence et de son honnêteté, et que toute la cabale dont il fait l'objet consiste à le discréditer auprès de l'opinion publique pour l'empêcher de se présenter aux élections sénatoriales. Il a même promis de revenir en force et de damer le pion à ses détracteurs. Ce fumier a osé me citer. Il dit que c'est moi qui veux sa peau.

— Il n'a pas menti.

— Erreur, Eddie. Quand je veux la peau de quelqu'un, je l'obtiens avant même de l'avoir saigné. Je voulais seulement lui donner une leçon. Apparemment, il ne l'a pas retenue. Et cette fois, je compte bien étaler sa toison à la place de mon paillasson.

— Comment ?

— C'est vous, la presse. Vous disposez de six journaux, de deux hebdomadaires, d'un site Web, c'est largement suffisant pour dépiauter n'importe quelle brebis galeuse.

— Le harcèlement médiatique a ses limites. À l'usure, il devient suspect. Les gens ne prennent plus pour monnaie courante ce qu'on leur raconte.

— Argent comptant, corrige Hamerlaine.

— Quoi, argent comptant ?

— On ne prend pas pour *argent comptant*.

— Qu'importe la formule, l'essentiel est dans le sens.

— Eddie, nous vous avons rappelé pour que ce fils de pute se taise à jamais. Cherchez dans sa vie, il y a toujours une horreur cachée. Si vous n'en trouvez pas, débrouillez-vous pour lui en tailler une sur mesure. Je veux que la boue qui l'engloutira soit si nauséabonde que l'Ange de la mort lui-même renoncerait à aller le chercher.

Ed Dayem tourne et retourne le journal dans ses mains, désemparé. Il sait que le sort en est jeté et que ce que décide un rboba se doit d'être accompli. Il avale convulsivement sa salive, inspire et expire, s'essuie le front sur le revers de sa main. Le ronronnement du climatiseur résonne dans ses tempes comme le rugissement d'un vent maléfique.

— Vous pensez que... bredouille-t-il.

— Je ne pense rien du tout, Eddie. Qui détient l'opinion détient la vérité, et il n'est pas nécessaire que cette vérité soit saine. Rappelez-vous notre devise lorsque le Comité vous a confié la charge de notre force de frappe médiatique : la vérité, c'est ce que les gens croient. Toute sainte vérité qui ne tient pas la route est allégation, toute énormité qu'on ne peut pas défaire est vérité absolue.

Ed Dayem dodeline de la tête :

— Je vais voir ce que je peux faire.

— Pour moi, c'est déjà fait. J'attends juste confirmation... Maintenant, vous pouvez disposer. C'est l'heure de ma séance de dialyse. Mon chauffeur va vous déposer.

— Inutile de le déranger. Je prendrai un taxi.

— Toujours aussi méfiant, Eddie.

— Ça préserve.

Le vieillard émet un rire sec :

— Prétentieux, va.

Ed Dayem acquiesce. La ride qui vient de balafrer sa mine grisâtre n'échappe pas à haj Hamerlaine. Ce dernier s'affaisse contre le dossier de son trône rembourré et croise les doigts sur son ventre. Ses yeux luisent d'un éclat dérangeant.

Lorsque Ed Dayem arrive devant la porte, il marque une pause, médite ensuite, puis se tourne vers le vieillard :

— Dites-moi, monsieur, cette histoire de tenancière est-elle authentique ?

Le vieillard considère un bon moment le magnat, dans un silence sinistre qui fait regretter à Ed de l'avoir provoqué, puis, le regard aussi menaçant que l'œil d'un cyclone, il maugrée :

— Flaubert dit que tout ce que nous inventons est vrai.

Et, d'une main seigneuriale, il le congédie.

5.

L'image de la jeune fille morte tourne en boucle dans la tête de Nora. Elle a beau se concentrer sur les gens qui déambulent sur les trottoirs, elle ne parvient pas à se débarrasser du visage éteint au milieu de ses couronnes de fleurs sauvages, là-bas, dans la forêt de Baïnem. Les klaxons qui fusent autour d'elle rappellent des déflagrations.

— Sors-moi de cette foire, ordonne-t-elle à son chauffeur.

— C'est l'heure de pointe, patron, fait le chauffeur, lui-même dégoûté par le tumulte des embouteillages saturant le front de mer.

— Prends un raccourci, bon sang !

— Impossible. Toutes les rues sont encombrées.

Nora consulte sa montre. Midi pile. Le commissariat central n'est qu'à quelques encablures, mais les interminables files de voitures sont presque à l'arrêt. Les rares agents de l'ordre qui tentent de démêler l'écheveau du trafic sont dépassés. Par endroits, ils font n'importe quoi. On les entend de loin souffler dans leurs sifflets et engueuler les chauffards sans pour autant discipliner la pagaïe sur la chaussée.

— Bon, cède la commissaire, dépose-moi d'abord chez moi. Tu reviendras me récupérer quand la circulation se calmera.

Le chauffeur opine du chef, content de rebrousser chemin.

Nora arrive chez elle vers midi et demi. Elle trouve Sonia encore au lit, les yeux bouffis de sommeil.

— Debout, lui dit-elle.

Sonia remue paresseusement sous ses draps entortillés. Les cheveux en broussaille, les traits flétris, elle grogne en remontant l'oreiller sur sa figure.

— Il est quelle heure ? demande-t-elle d'une voix traînante.

— Depuis quand t'intéresses-tu à l'heure qu'il est ? Je parie que tu t'es encore shootée aux barbituriques. Regarde-toi. On dirait une crêpe rancie. (Elle balaie d'une main furibonde un flacon jaunâtre sur la table de chevet.) Je t'ai dit cent fois que je ne veux plus voir ces saloperies de pilules chez moi.

— Hé ! proteste Sonia. Ça coûte la peau des fesses, ces trucs.

Nora arrache les draps pour obliger la dormeuse à se lever. Sonia est nue, les seins hauts et fermes, la toison pubienne foisonnante. Les traces du slip ont laissé un mince triangle laiteux sur sa peau bronzée.

— Que veux-tu que je fasse de mes journées ? s'écrie-t-elle. Tu ne me trouves toujours pas de boulot et tu m'interdis de glander dans les rues. Je ne suis pas un otage. Ni un meuble. C'est parce que je m'emmerde que je me shoote. Tu es tout le temps au four et au moulin, et moi engluée jusqu'au cou dans l'ennui.

— Prends une douche. Ça te rafraîchira les idées.

Sonia se lève à contrecœur, chavire en s'appuyant sur le rebord du lit, le regard aussi vague que les gestes. C'est une jeune femme assez mignonne, d'une trentaine d'années, mince et élancée. Fugueuse à dix-huit ans, elle a connu la dèche, le trottoir, les maisons louches, les fréquentations sulfureuses et les mandats de dépôt. Les cicatrices et les brûlures de cigarettes, qui gâchent la parfaite plastique de son corps, racontent les déboires qui ont jalonné son naufrage. Ce fut lors d'une descente de police que Nora la connut, séquestrée dans une cave par une bande de violeurs et de maquereaux. Sonia était dans un état lamentable, torturée et droguée, à deux doigts de sombrer dans la folie à force de subir nuit et jour des tournantes féroces. Elle fut hospitalisée plusieurs jours avant d'être confiée à un centre spécialisé où Nora lui rendait régulièrement visite. Les deux femmes nouèrent des liens et ne purent plus se passer l'une de l'autre. Après une cure de désintoxication, Sonia emménagea chez Nora. Elle réside chez elle depuis plus de trois ans, mais, ces derniers temps, la nature de la fugueuse revient au galop. Sonia rentre de plus en plus tard, ivre et délabrée, empestant les effluves des amants transitoires. Elle devient incontrôlable et menace de prendre le large si Nora ne lui lâche pas du lest.

— Il faut que j'aille me refaire une beauté chez l'esthéticienne, balbutie Sonia.

— Je ne te le fais pas dire, admet la commissaire, consternée.

Sonia se frotte le pouce contre l'index :

— J'ai besoin de fric.

— Qu'as-tu fait de celui que je t'ai filé hier ?

— Je l'ai claqué.

— Tu crois que je les fabrique dans un atelier clandestin, mes sous ?

— C'n'est pas mon problème. J'ai besoin de mettre de l'ordre dans mes cheveux. Sinon, je serai obligée de me débrouiller *comme avant*.

— Pas de chantage, s'il te plaît.

Sonia lui rit au nez, l'effleure de son épaule, provocante et languide. Elle bat des cils, histoire d'attendrir la commissaire, main tendue.

— Allez, fais pas de chichis, mon ange.

Nora réprime un soupir avant de céder. Sonia rafle les deux billets de banque qu'elle vient de sortir.

— Je me demande ce qu'il serait advenu de moi si la providence ne t'avait pas mise sur mon chemin, susurre-t-elle.

Elle l'embrasse sur la bouche et se dirige en chancelant vers la salle de bains.

Nora la regarde s'éloigner, s'attarde sur les hanches harmonieuses, ensuite sur les fesses bien rondes, puis, lorsque sa compagne disparaît derrière la porte vitrée, elle se laisse choir sur le bord du lit, allume une cigarette et se tourne, songeuse, vers la fenêtre donnant sur un ciel blafard.

6.

Le commissariat central d'Alger évoque un hangar désaffecté. Quelques policiers désœuvrés raclent les couloirs, les pouces sous le ceinturon et la tête ailleurs. Le peu de lumière que laissent filtrer les fenêtres poussiéreuses confère à la pénombre une touche frustrante que le grincement des portes et le cliquetis des claviers accentuent.

Aux guichets, deux flics tentent de tuer le temps, l'un occupé à tripoter son iPhone, l'autre s'acquittant laborieusement de ses mots fléchés. Ce dernier a surchargé les cases de grosses modifications. Le stylo entre les dents, il n'arrive pas à comprendre pourquoi l'alignement des mots ne coïncide pas. De guerre lasse, il porte la main sur un gobelet où s'est refroidi un café amer, revient sur un synonyme, bute sur une lettre inappropriée, maugrée de dépit :

— C'n'est pas normal. Le type qui a commis ces grilles n'a jamais été à l'école. Ce mot, par exemple : *capital*. J'ai mis *Rome*, *Raba*, *Pari* ; aucun ne correspond.

— Tu devrais essayer le jeu des sept erreurs, lui suggère son collègue.

Un homme entre dans le commissariat. Petit et sec, la soixantaine mal négociée, il flotte dans son costume chiffonné. Avec ses cheveux dépeignés, ses traits fondus et ses yeux cernés, il a l'air d'avoir passé la nuit dans une étable.

Il s'approche du guichet, extirpe d'un cartable un dossier volumineux et le pose sur le comptoir.

Le policier considère le tas de paperasse empaqueté dans une chemise cartonnée, puis reprend ses mots fléchés.

— Le bureau 15, c'est au bout du couloir à droite, dit-il, le nez dans son journal.

— C'est pour une main courante, fait le citoyen.

Le policier pose son stylo, visiblement ennuyé.

— Tu ne peux pas revenir plus tard ? Je n'ai pas encore fini mon café.

— Moi, je n'ai pas dormi et je n'ai pas pris de petit déjeuner. Je viens juste de débarquer du train de nuit.

Le deuxième policier arrête à contrecœur de surfer sur son mobile et fait signe au citoyen d'approcher.

— C'est quoi, le problème, monsieur ?

— Je viens porter plainte contre l'État.

Les deux policiers se regardent, perplexes, avant d'éclater de rire.

— Je ne suis pas un humoriste, dit le citoyen.

— Et ici, ce n'est pas un café-théâtre, lui rétorque-t-on.

Le citoyen sort une carte professionnelle de la poche intérieure de sa veste et la pousse sur le comptoir.

— Je suis ingénieur en pétrochimie et j'enseigne à l'université d'Oran.

Les deux policiers se consultent du regard.

— Alors, pourquoi s'inventer des emmerdes, monsieur le savant ? On ne porte pas plainte contre l'État, voyons.

— Qu'est-ce qui se passe ? claque une voix du fond d'un cagibi.

Les deux policiers se dépêchent de ranger téléphone et journal, remettent de l'ordre dans leur attitude et se tournent vers le box derrière eux. Un officier en civil se tient dans l'embrasure, les bras croisés sur la poitrine, les lèvres lourdes.

— Le monsieur veut porter plainte contre l'État, inspecteur, lui explique le premier agent avec une pointe d'amusement sidéré dans la voix.

L'officier avance, tend une main par-dessus le comptoir que le citoyen s'empresse de serrer.

— Inspecteur Zine.

— Je viens d'Oran, monsieur l'inspecteur, dit le citoyen.

— Il y a un commissariat à Oran, lui fait remarquer l'agent.

— J'ai le droit de porter plainte partout dans mon pays. J'en ai marre de courir à droite et à gauche, d'entendre les portes me claquer au nez, de poireauter des heures et des heures dans des salles d'attente pourries avant qu'un planton vienne me signifier que son patron est occupé ou bien parti d'urgence à un rendez-vous extérieur. Il y a toute mon histoire dans ce dossier, mes coups de gueule découpés dans la presse, mon ras-le-bol relaté en détail aux services concernés. Aujourd'hui, j'ai décidé de m'adresser à Dieu plutôt qu'à ses saints. Je suis victime d'un système véreux, aussi je porte plainte contre l'État, ici même, dans le commissariat central d'Alger.

Le citoyen défait le cordon qui ficelait l'énorme dossier et entreprend de chercher des documents. Ses gestes saccadés font trembler son visage et sa respiration rappelle soudain celle d'un asthmatique.

— En 1997, la commune d'Aïn el-Türck m'a attribué un lot de terrain de cent quarante-trois mètres carrés. Voici l'ordre d'attribution signé et daté. J'ai payé la somme réclamée dans son intégralité, ainsi que les frais notariaux et ceux de la viabilisation dont voici les reçus et les ordres de versement. Un an plus tard, grande fut ma surprise lorsque j'ai constaté qu'une tierce personne avait construit une maison sur mon propre terrain. Et depuis, c'est la galère. Le squatteur est en règle. Il m'a montré l'ordre d'attribution à son nom, signé par le même chef de commune. Au début, on m'a promis un autre lot. On m'a fait courir des années durant. À la réserve foncière de Sénia, où sévit une canaille de la pire espèce, on m'a appâté avec des promesses, puis on m'a ignoré. J'ai porté mon affaire devant le tribunal. Les juges avaient les yeux sur mes poches plutôt que sur mes requêtes. Ni les lettres recommandées ni mes prières du vendredi ne sont parvenues à destination. Le préfet d'Oran se dit agacé par ma personne. Il estime que je le harcèle. Aux différents commissariats, les agents se signent pour repousser les sortilèges dès qu'ils me voient débarquer. J'ai écrit au ministère cent fois, au président de la République plus de vingt fois, pas la moindre réaction. Cette histoire m'a rendu hypertendu, sans compter mes problèmes cardiaques et mes crises d'angoisse. Je fonctionne aux antidépresseurs. Ma femme s'est réfugiée chez ses parents, mes enfants m'évitent, le plus jeune est mort en tentant de traverser la mer à bord d'une chaloupe pourrie. Je n'en peux plus.

L'inspecteur acquiesce de la tête. Son regard s'assombrit lorsqu'il ordonne sèchement aux deux agents :

— Prenez sa déposition. Et dans les règles de l'art, compris ?

Les deux policiers froncent les sourcils avant de farfouiller dans leur casier à la recherche des formulaires appropriés.

En regagnant son cagibi, l'inspecteur Zine trouve le lieutenant Guerd assis sur une chaise, les pieds sur la table basse, une cigarette au bec. Le sans-gêne de ce dernier a toujours énervé le subalterne, mais il y a des zèles contre lesquels on ne peut pas grand-chose. Le courant ne passe pas entre les deux hommes. Issus de la même promotion, l'un a brûlé les étapes les doigts dans le nez à coups de brosse à reluire et de courbettes tandis que l'autre, malgré un parcours exceptionnel sur les terrains minés, crapahute encore au bas de l'échelle hiérarchique.

— Je peux savoir ce que tu fais dans mon bureau, lieutenant ?

— Tu appelles ça, un bureau ? Avant, c'était un débarras. On y emmagasinait des balais, des frottoirs, des serpillières, des seaux en plastique et des détergents. Comme on n'avait pas où te caser, on a réaménagé le débarras pour toi. On a mis une table de cantine, trois chaises en Formica, un téléphone vieux comme le monde, une armoire de récupération, et on t'a installé entre deux portes dans l'espoir de voir le courant d'air t'emporter.

— Tu n'as pas répondu à ma question, lieutenant.

— À vrai dire, ironise Guerd en montrant du menton une Thermos posée sur une rame de dossiers, je suis venu partager ton café. Il paraît qu'il n'y a pas mieux pour broyer du noir.

— Tu arrives trop tard. J'ai tout bu. Qu'est-ce que tu me veux ?

— Te faire chier. N'est-ce pas le privilège des plus gradés ?

— J'avoue que, comme purgatif, il n'y a pas plus efficace sur le marché.

Le lieutenant Guerd ricane, comme chaque fois qu'il manque de repartie. Il commence par retirer ses pieds de la table basse, se lève pour dominer d'une tête l'inspecteur, lisse sa moustache torsadée. Son rictus s'accentue lorsqu'il maugrée :

— Tu connais l'histoire du fossoyeur qui voulait devenir spéléologue ?

— Non.

— Il paraît qu'à force d'enterrer de plus en plus profond ses morts il avait décidé de descendre encore et encore pour voir jusqu'où il pouvait s'enfoncer.

— Et alors ?

— Et alors, il n'est jamais remonté de son trou.

— Je suppose que ton histoire a une morale, lieutenant.

— Comment veux-tu que je le sache ? Le type est toujours en train de creuser.

— Je vois, dit Zine en dodelinant de la tête.

Guerd est ravi de clouer le bec au subalterne.

Zine, lui, regrette d'avoir tendu le bâton au lieutenant. Il s'était pourtant juré de ne plus céder à la provocation qui, souvent, permet aux crétins d'avoir le dernier mot lorsque que tous les autres leur ont manqué.

Encore une fois, c'est raté. Mais comment ne pas céder ? En Algérie, le trop-plein de vexations rend l'agressivité impérative. On ne peut pas passer l'éponge sans s'effacer soi-même ni se taire sans se faire violence. Lorsqu'on est amené à en découdre, dans ce genre de confrontation, le sarcasme se doit de s'enrober de métaphores assassines. Dans un pays où les apparences priment sur le reste, les piques exigent et l'image et le son, sans quoi la frustration deviendrait une monstrueuse agonie.

Guerd revient à l'objet de sa visite :

— On a un macchabée sur les bras, ce matin.

— Je suis au courant.

— On n'a que dalle pour l'identifier. Je veux que tu appelles tous nos commissariats pour voir si quelqu'un a signalé la disparition d'une jeune fille brune, environ vingt ans, yeux verts, dans les un mètre soixante. Tout porte à croire qu'elle célébrait quelque chose. Tu vérifies auprès des salles des fêtes et des hôtels s'il y a eu du grabuge quelque part, une bagarre qui aurait mal tourné, des trucs dans ce genre.

— C'est tout ?

— Ouais, sauf que je veux voir ton rapport sur mon bureau au plus tard demain avant 15 heures.

— C'est noté.

— Tu y as intérêt, grogne le lieutenant en quittant le cagibi.

L'inspecteur reste quelques instants à fixer l'endroit où se tenait son supérieur, puis il se verse deux doigts de café qu'il avale d'un trait et se tourne vers le portrait de Nelson Mandela punaisé sur le mur derrière lui.

7.

Après s'être assuré que personne ne le suivait, Ed Dayem descend une rue en escalier jusqu'à un square, saute dans un taxi et file droit sur les Annassers. Chaque fois qu'une voiture suspecte se manifeste derrière, Ed se met sur ses gardes. Son comportement intrigue le chauffeur qui lui demande si quelque chose ne va pas.

— Occupe-toi de la route et fiche-moi la paix, vu ?

— J'ai pensé que vous étiez souffrant, monsieur.

— T'es médecin ?

— Non.

— Alors, de quoi je me mêle ?

Le conducteur ébauche un geste d'excuse et fait corps avec son volant.

Il est très mal, Ed. Son entretien avec Hamerlaine a été une épreuve effroyable. Pour quelqu'un qui déteste que les choses lui échappent, il vient d'être servi. Depuis quelque temps, il ne maîtrise plus rien, lui, le dur à cuire qui déjouait les traquenards avec talent. S'il a sévi durant des années, c'est parce qu'il savait ne rien laisser transparaître de ses intentions ni de ses incertitudes. Mais ces derniers mois, ses ennemis lisent en lui comme sur un détecteur de mensonge. Bien sûr, il continue de manipuler son monde d'une main de maître, cependant, dans le marigot infesté de crocodiles qu'est devenue Alger, les baignades sont de plus en plus périlleuses – raison pour laquelle il a choisi de s'établir en Espagne. Certes, il n'a pas perdu grand-chose de sa dangerosité ni de ses réseaux, sauf que ses chasses gardées semblent moins inexpugnables depuis qu'une génération de prédateurs, rompue aux méthodes expéditives et n'ayant pour le sacré que mépris, est en train de gagner du terrain, bafouant les conventions avec une insolence déroutante. Les nouveaux reptiles n'ont pas plus de patience que de scrupules. Ils veulent tout et tout de suite, sans partage et sans concessions.

Ed Dayem n'est pas triste de céder la place, il tient seulement à préserver ses acquis. Il est riche, encore diablement influent, et quand bien même il serait prédisposé à prendre sa retraite, il n'aimerait pas qu'on l'enterre vivant. Si l'Algérie est tombée bien bas, Ed Dayem n'y est pas étranger. Il a passé sa vie à briser carrières et foyers, à torpiller alliances et projets. Combien de braves ont-ils touché le fond à cause de lui ? Combien de savants, de militants, de compétences émérites a-t-il forcés à l'exil ? Combien d'éminences grises ont-elles fini à l'asile et combien de héros ont-ils été traînés dans la boue avant de rendre l'âme par sa volonté ? Aujourd'hui encore, à soixante-cinq ans, aucun supplice ne le dérange et aucun charisme ne lui résiste. N'est-ce pas lui qui clamait haut et fort que toute tête qui dépasse se doit d'être décapitée ? N'est-ce pas lui qui a fait de la liberté d'expression celle de dire n'importe quoi sur n'importe qui en toute impunité ?

Ed Dayem est aussi redouté que le cancer et le mauvais œil réunis... Et pourtant, il ne parvient plus à rentrer au pays sans qu'une angoisse obscure, féroce et remuante lui essore les tripes.

Avant d'atteindre les Annassers, Ed feint de se rappeler une urgence et somme le chauffeur de mettre le cap sur le Golf. Il se fait déposer à proximité d'un marché, remonte une rue sur plusieurs centaines de mètres, intercepte un autre taxi pour Chéraga. Une fois arrivé à destination, il attend que le taxi s'éclipse au coin de l'avenue avant de contourner un pâté de maisons pour enfin rentrer chez lui. Ed est conscient de sa paranoïa, mais il n'y peut rien. Il sait qu'à Alger, comme sur un stand de tir, on n'est jamais à l'abri d'une balle perdue.

Sa villa se dresse à l'extrémité d'une allée pavoisée de bougainvilliers. C'est une très belle demeure de style colonial qu'il a réussi à racheter à l'État pour un dinar symbolique lors de la cession des biens vacants après en avoir chassé la veuve d'un martyr, qui y habitait depuis 1963. Le coin est tranquille, propre ; de nombreux hauts fonctionnaires s'y la coulent douce à moindres frais. Les rapports entre voisins se limitent à bonjour-bonsoir, et les gosses, contrairement à ceux des cités populaires, traînent rarement dans le secteur.

Une fois chez lui, Ed Dayem congédie le gardien, prend une douche brûlante pour se détendre, puis, nu de la tête aux pieds, il se laisse choir dans un fauteuil et appelle son bureau.

— Salut, Sido... Non, je suis rentré ce matin. Comment vont les choses ?... Très bien. Il y a du courrier ?... Ça ne peut pas attendre jusqu'à demain ?... OK, tu m'envoies les contrats et les affaires qui urgent... Non, pas avec Mostefa. Je t'avais ordonné de le virer, non ?... Je n'en ai rien à cirer, de ses excuses. Je ne veux plus le voir errer dans mes locaux. Envoie-moi quelqu'un d'autre, et tout de suite. Je suis crevé, et j'ai envie de piquer un somme.

Il manque de fracasser le combiné en raccrochant, se sert un verre de scotch et allume la télé.

Il était à deux doigts de s'assoupir lorsqu'on sonne à sa porte. Il reconnaît Basma, une de ses employées, sur l'écran de la caméra de surveillance, appuie sur le bouton d'ouverture et va dans sa chambre enfiler un peignoir.

— Je croyais que tu avais quitté le journal, dit-il à la femme en s'écartant pour la laisser entrer.

— J'ai seulement pris six mois de disponibilité, fait-elle. Je t'apporte les documents à signer.

Ed lui indique un bureau.

— Pose-les là.

— C'est très urgent. Je dois les expédier aujourd'hui.

Coiffée à la garçonne, les yeux grands comme des soucoupes, d'un vert limpide, et les rondeurs plantureuses, Basma s'habille serré et marche exprès en se déhanchant pour cadencer le pouls des désirs ardents. Au bureau, ses collègues observent une minute de silence lorsqu'ils l'entendent marteler le sol dallé avec ses talons aiguilles. À vingt ans, c'était une bombe qui faisait sauter les braguettes en hautes sphères, collectionnant ministres et hommes d'affaires par paquets. Avec le temps, ses amants la délaissant pour d'autres chairs fraîches, elle s'était mise à menacer, preuves à l'appui, de dévoiler les frasques de la République, avant qu'Ed la désamorce en lui offrant un poste aussi improbable qu'une voie de garage mais très bien rémunéré. Les fins de semaine, il improvisait, pour elle, des déplacements professionnels à l'étranger où il la rejoignait, la trousse de toilette pleine de préservatifs. Parfois, il l'utilisait pour compromettre certaines personnalités politiques aux diatribes coriaces, mais trop frustrées sexuellement pour résister à l'appel des sirènes.

Ed la considère, le menton entre le pouce et l'index.

— Tu n'as pas pris quelques kilos de trop ?

Basma esquisse un petit sourire.

— Je suis enceinte.

— De qui ?

— De mon mari, voyons.

— Tu t'es mariée ?

— C'est la raison pour laquelle j'ai pris les six mois de disponibilité.

Eddie hausse un sourcil :

— Tu aurais pu m'en parler.

— Je croyais qu'on ne pouvait rien te cacher.

— Je le croyais aussi.

— Ça te pose problème ?

— Pas vraiment.

Il la fixe avec une acuité telle qu'elle en déglutit.

— Et qui est l'heureux élu ?

— Slimane...

— Slimane Brik ?

— Oui.

Ed éclate de rire.

— Tu aurais pu trouver mieux. Ce cervidé n'est qu'un profiteur. Il n'a jamais rien réussi dans sa vie.

— Il a réussi à me séduire.

— Arrête, tu me déçois, franchement. Il ne mérite même pas que tu t'essuies les pieds sur sa nuque de lèche-bottes. Tu as tout pour qu'il vive à tes crochets : l'appartement que je t'ai acheté, la voiture que le journal t'a offerte, le salaire excessif que nous te versons...

Basma pose les documents sur le bureau et se tourne vers son employeur :

— Eddie, je vais sur mes quarante ans et un mari est un bon placement. Dans une société comme la nôtre, on ne peut pas espérer meilleure couverture et statut aussi probant.

— N'empêche, lui dit Ed en s'asseyant derrière le bureau, tu as misé sur le plus mauvais canasson. Slimane est un teigneux. Il te fera plus de mal que de bien.

— J'ai été à bonne école, et tu as été mon professeur. Je sais parfaitement comment gérer ma boîte.

Ed acquiesce de la tête, signe sans les lire les documents, les remet dans leur chemise, puis, après avoir reluqué Basma, il admet :

— La grossesse te va à merveille. (Il s'approche d'elle, la saisit par la taille et l'attire contre lui.) Les femmes enceintes sont mon fantasme de prédilection.

Basma feint de se soustraire à l'étreinte de son employeur.

— Je suis mariée maintenant, Ed.

— Ça change quelque chose ?

— Je suppose que oui.

— Dois-je comprendre que tu as le béguin pour cet abruti ?

— Je l'aime.

— Idiote ! Tu sembles renoncer à l'enseignement que je te dispense depuis des années : le seul amour qui compte est celui que l'on a pour soi. Aucune personne au monde ne mérite qu'on lui en cède un bout.

Il tire d'un coup sec sur la fermeture Éclair à l'arrière de la robe.

— Le chauffeur m'attend, chuchote Basma.

— Il attendra le temps qu'il faudra.

— Quelle vilaine épouse suis-je en train de devenir ?

— La pire, et ce n'est que le début.

— S'il te plaît, Eddie, couine-t-elle en se retournant, la bouche vorace et les yeux en flammes, ne me force pas à te résister.

— Essaye donc...

Basma se met à frémir, les cheveux sur la figure, les yeux révulsés. Elle passe et repasse la langue sur ses lèvres rouge sang, le souffle accéléré. D'un geste plein de grâce, elle laisse tomber sa robe.

— Je n'oserai plus lever les yeux sur mon pauvre Slimane.

— Tu baisseras la tête. Puisqu'il est à tes pieds.

8.

Le soleil inonde une bonne partie de la chambre lorsque la commissaire Nora se réveille. Sur la table de chevet, la montre affiche 8 h 55. Nora bondit hors du lit en pestant, enfile un pantalon et court se laver au lavabo. À son retour, elle s'aperçoit que Sonia dort tout habillée, la bouche ouverte, des traînées de rouge à lèvres sur les joues, une chaussure pendue à l'orteil.

Nora l'a attendue tard dans la nuit, en vain. Elle ne l'avait pas entendue rentrer non plus. *Où est-elle allée merdouiller encore ?* fait-elle en son for intérieur.

Sonia offre un spectacle navrant, la chemise retroussée par-dessus le nombril, le ventre sabré de contusions bleues, les manches souillées aux coudes et le pantalon maculé aux genoux comme si elle avait marché à quatre pattes dans une rigole.

— Quelle conne ! maugrée la commissaire en refermant la porte derrière elle.

Nora doit patienter pour aller à l'air libre ; il lui faut d'abord enjamber deux fillettes oubliées sur les marches de l'escalier et attendre qu'un voisin et son fils descendent un vieux frigo bousillé.

La marmaille a envahi le square, les uns tapant dans un ballon, les autres se disputant une place au soleil pour mieux se brouiller la vue.

La voiture de service est rangée à contresens sur la voie publique. Nora a beau intimer à son chauffeur d'observer un minimum de respect pour les lois de la République, pas une fois elle n'a trouvé la voiture garée correctement.

Dès que la commissaire monte à bord, le chauffeur démarre sur les chapeaux de roues, manquant de renverser un garçon ; ce dernier porte la main à son bas-ventre en guise de protestation.

Nora est en retard. Elle a rendez-vous à El-Boustane, une clinique privée du côté d'El-Biar. C'est là-bas que, sur ordre du chef de sûreté, la dépouille de la fille assassinée à Baïnem a été déposée. Avant, on confiait les corps à l'hôpital. Mais depuis que le ministre de l'Intérieur s'est découvert une fascination pour le clinquant, il contraint l'ensemble des commissariats du Grand-Alger à privilégier le secteur privé sous prétexte que ce dernier offre des services plus fiables grâce à son matériel sophistiqué. Certes, la morgue de l'hôpital ressemble à un abattoir et les prestations y sont discutables, mais l'obsolescence qui caractérise les moyens des centres hospitaliers de l'État est voulue par l'État lui-même afin que les décideurs s'en mettent plein les poches en traitant avec les promoteurs immobiliers véreux et les bouchers du secteur de la santé pour qui les pots-de-vin valent tous les diplômes et tous les serments d'Hippocrate.

Nora se souvient de la Maison des jeunes d'El-Biar, dix ans plus tôt. C'était une grande bâtisse de style colonial, avec un superbe parvis, une grande salle des fêtes, une salle de projection, des bureaux au premier étage, des ateliers de peinture, de musique et de photographie au deuxième et une bibliothèque dotée de dix mille ouvrages au troisième. Beaucoup de garçons et de filles y affluaient ; en fin de semaine, on s'inventait un événement à célébrer et on invitait des humoristes et des musiciens des quartiers alentour pour s'éclater. C'était une belle époque. Puis, à la suite d'une vague histoire de mœurs tirée par les cheveux, un arrêté préfectoral est venu mettre l'établissement sous scellés, renvoyant les filles chez elles et livrant les garçons aux ennuis de la rue. Lorsque les ronces ont commencé à dévorer les allées, les rats à proliférer au sous-sol et les araignées à voiler les fenêtres crevées, une équipe d'architectes a rappliqué dans le coin, déroulant de vastes plans sur le sol et décrivant de larges horizons autour de la bâtisse. En moins d'un an, à grand renfort de Chinois, la Maison des jeunes se transforma en clinique privée que le ministre de la Santé en personne se fit un honneur d'inaugurer, fanfare de karkabous et fanions par milliers.

La clinique El-Boustane appartient à un certain Haroun Ibader, ancien patron des douanes algériennes, magouilleur de génie maintes fois rattrapé par la justice et maintes fois gracié, qui a réussi à *s'acheter* une virginité et une respectabilité de marabout depuis qu'il a marié sa fille au rejeton du ministre de l'Intérieur. Ce dernier, bluffé par le laboratoire ultramoderne de la clinique, a décidé de lui confier tous les macchabées que la police criminelle aurait sur les bras, ainsi que les analyses de prélèvements liés à des morts suspectes.

Le lieutenant Guerd est sur place, debout sur le perron, les bras croisés sur la poitrine. Il arbore la mine renfrognée d'un barbeau à qui l'on a posé un lapin. Pour signifier à la commissaire qu'elle est en retard, il regarde sa montre et gonfle les joues. Nora ne lui tend pas la main. Elle passe devant lui et ne se retourne pas lorsqu'elle l'entend marmonner.

Le docteur Reffas les reçoit dans une salle glaciale annexée au labo. Le corps de la fille est étalé sur une table blanche, recouvert d'un drap. Autour de l'autel, des étagères creusées à même le mur exhibent des bocaux remplis d'horreurs baignant dans du formol. Au plafond, des néons anémiques évoquent des âmes sursitaires en train de s'amenuiser.

Le docteur Reffas est une légende au pays. Sa compétence est louée jusqu'en France. Avant, il bossait à l'hôpital. Trop occupé à sauver des vies, il ne prêtait pas attention à la gestion catastrophique de son directeur ni aux vols fréquents de médicaments et équipements dans le stock intangible de l'établissement. Mais lorsqu'il s'aperçut qu'on taillait des masques à oxygène dans des bouteilles en plastique, il déballa tout dans un journal. Il s'attendait à voir le ministère de la Santé sanctionner les indélicats, et ce fut un fax qui atterrit sur son bureau le matin même de la publication de son réquisitoire : il était viré.

Il fut recruté le lendemain par El-Boustane, privant ainsi le service public de l'une des plus grandes figures de la médecine nationale.

Nora déteste El-Boustane, mais elle a pour le docteur une réelle admiration. Elle le connaît depuis des années. C'est un peu grâce à lui qu'elle garde la foi. Reffas est la preuve que l'Algérie ne produit pas que des ordures.

— Vous avez identifié la malheureuse ? s'enquiert le médecin en dévoilant le visage de la morte.

— Pas encore.

— Pauvre fille...

— On n'est pas là pour s'attendrir, grogne le lieutenant Guerd. Si ça se trouve, c'est elle qui l'a cherché.

— Rien ne justifie un tel gâchis, dit le docteur.

Nora prie son subalterne de garder ses opinions pour lui.

— Vous avez trouvé quelque chose ? demande-t-elle au docteur.

— Rien d'exploitable dans l'immédiat. Pas de traces de séquestration, pas de pellicule de chair sous les ongles, rien qui puisse nous permettre d'accéder à l'ADN de l'agresseur. Cette fille est morte entre 22 heures le 23 décembre et 2 heures le 24. Autre chose, elle est vierge.

— La virginité n'exclut pas le viol. Certains préfèrent d'autres accès, suggère le lieutenant, ravi de voir son supérieur rougir.

— Pas de sodomie non plus, précise le docteur. Aucune trace de liquide séminal.

— On n'en laisse pas quand on utilise des capotes, signale le lieutenant, content cette fois de sa pertinence.

Le docteur le dévisage deux secondes.

— Je connais mon boulot, jeune homme. La fille a été droguée sans être violée.

— Bizarre, admet Nora. Vous pensez que la mort serait due à une overdose ?

— Ou peut-être à la mutilation, dit le docteur en écartant le drap sur la blessure ornant la poitrine de la morte.

— C'est une morsure de chien errant, suppose Guerd qui commence à trouver l'attitude du médecin barbante.

— Ce n'est pas la morsure d'un animal, mais celle d'un humain.

Les deux policiers rejettent la tête en arrière comme sous le coup d'un uppercut.

— Les analyses sont catégoriques, dit le médecin. Les contours de la blessure, les empreintes de la denture, la nature de l'entaille montrent sans équivoque qu'il s'agit bel et bien d'une mutilation faite par des mâchoires humaines.

Nora porte sa main à sa bouche, horrifiée. Le lieutenant, lui, ricane, amusé par l'hébétude de son chef.

— Il faudrait y aller mollo avec les dames, dit-il au docteur. Elles n'ont pas le cœur bien accroché... Vous pensez qu'il y a un cannibale qui se balade dans la nature ?

— Qui sait ? déclara le docteur en recouvrant la dépouille. Des cas similaires ont été observés dans les maquis terroristes pendant la guerre du GIA.

— Puisqu'il s'agit d'une morsure humaine, suppose Nora, il doit y avoir des traces d'ADN.

— La blessure a été nettoyée.

Les deux officiers de police prennent congé du docteur.

Arrivés dans la cour de la clinique, Nora s'assure qu'il n'y a personne dans les parages avant de braquer un doigt péremptoire qui manque d'éborgner son subalterne :

— Essayez encore une fois de faire allusion à ma féminité et je vous arrache la bite pour vous l'enfoncer dans le cul.

— Hé ! s'embrase le lieutenant. Je n'ai pas été grossier. Et puis je ne permets à aucune femme, galonnée ou pas, de me parler sur ce ton. Je pisse debout, moi.

— Je ne me répéterai pas, lieutenant Guerd. À partir de maintenant, je considère la moindre insinuation déplacée comme une insubordination. Femme ou pas, je vous promets qu'en un rien de temps je vous enverrai bronzer dans un trou perdu au Sahara. Et si vous pensez que vos couilles sont assez lourdes pour vous maintenir à Alger, je peux vous prouver le contraire, et tout de suite.

Le lieutenant a les yeux exorbités de fureur ; il se contente de crisper les mâchoires et les poings.

Nora le nargue en silence, le regard fixe.

— Retrouvez-moi au bureau à midi, lui dit-elle.

— On ne rentre pas ensemble ?

— J'ai une voiture, pas une cage aux fauves.

— Je vais rentrer comment ? C'est un voisin qui m'a déposé ici.

— Tu n'as qu'à le solliciter de nouveau, le tutoie-t-elle.

— Il travaille à Bou-Ismaïl.

— Réquisitionne un taxi. Tu es flic, non ? Tu peux tout te permettre dans ce fichu bled.

Elle le laisse cloué au milieu de la cour et regagne son véhicule de service.

Le brigadier Tayeb l'accueille au Central, une enveloppe serrée sous son bras comme s'il craignait qu'elle ne s'envole. Nora l'invite à la suivre dans son bureau.

— Alors ? lui demande-t-elle.

Le brigadier extirpe trois feuillets de l'enveloppe. C'est le rapport de la police scientifique.

— Pour le drap, il s'agit de soie tissée d'or. De fabrication malaisienne. Il coûte une fortune. Aucun magasin ne le vend chez nous. En plus du sang de la défunte, on a relevé quelques poils et des cheveux qui pourraient appartenir au malfaiteur. C'est le capitaine Salah en personne qui se charge des analyses.

— J'aurai les résultats quand ?

— Il ne me l'a pas dit, commissaire.

— Et pour les bris du feu arrière ?

— Le labo est formel. Il s'agit d'un 4 × 4 de marque Volkswagen : un Touareg.

Nora joint les mains sous son menton, réfléchit deux secondes avant de proposer un siège au brigadier :

— Merci, Tayeb... Je t'offre un café, et après je t'emmène à la clinique El-Boustane. J'ai des questions que je n'ai pas eu le temps de poser au docteur Reffas.

9.

Ed Dayem arrive au siège de son institution vers 9 heures. Il fait beau, le soleil se surpasse pour la saison et les vitres aux fenêtres scintillent de réverbérations nacrées. Ed range sa grosse cylindrée sur le parking improvisé derrière l'immeuble de cinq étages où il règne en satrape. Un jeune homme débraillé, armé d'un gourdin et arborant un brassard indéfinissable, porte une main à sa tempe dans un salut militaire et se dépêche de lui ouvrir la portière.

— Tiens, Moh, tu es sorti de taule ?

— Il y a deux semaines, monsieur.

— Ça a été ?

— En vérité, il y avait une tarlouze dans ma cellule et je n'ai pas vu passer le temps.

— Sacré veinard.

Moh est un jeune désœuvré de la cité qui partage son existence entre la prison et la cave de son HLM. Il a une trentaine d'années, presque pas de dents et des yeux aussi louches que sa jugeote. Parce qu'il n'a pas toute sa tête, les dealers du coin lui confient des tractations périlleuses qui souvent le mènent directement au trou, et lui, toujours preneur de n'importe quelle mission susceptible de lui assurer sa ration de cannabis, fait passer ses séjours carcéraux pour des faits d'armes. Dans le quartier, n'importe quel galopin le roule dans la farine, mais pour Moh, chaque déconvenue est une expérience enrichissante car il n'a jamais renoncé à devenir, un jour, un caïd. Le soir, lorsque le parking est désert, Moh retourne dans son terrier au fond de la cave de son immeuble et, tout en tétant son joint, il rêve de villa avec piscine, de bagnoles grandes comme des cachalots, de banquets pharaoniques et d'un harem de blondes aux hanches vertigineuses.

Ed lui glisse un billet dans la main.

— Paie-toi une mine moins triste, Moh. J'aime croire que tout est nickel autour de moi.

— Mais tout est nickel, monsieur. Tout est *intik*, kho.

Ed lui décoche un clin d'œil et rejoint ses bureaux.

Une dame l'accueille devant l'ascenseur, au cinquième étage. Elle le débarrasse de son manteau en cachemire, de son écharpe signée Dior et de son cartable Vuitton.

— Tout le monde vous attend, monsieur Dayem.

— Merci, Zohra. Apporte-moi du café, s'il te plaît.

L'ensemble de la direction se lève lorsque Ed entre dans l'immense salle de réunion. Sont rassemblés autour d'une table colossale le directeur financier, les présidents de la publication des journaux et des magazines, le conseiller juridique, le secrétaire particulier ainsi que d'autres jeunes collaborateurs tirés à quatre épingles dont il n'a jamais pu retenir les noms ni les fonctions. Ed ne tend la main à personne. Il traverse la pièce d'un pas seigneurial et va occuper le gros fauteuil rembourré à l'extrémité de la table. Il attend que Zohra lui apporte le café avant d'ouvrir le briefing.

Chaque responsable présente sa situation dans un silence plombé. Ed feint d'écouter en hochant le menton d'un air docte. Lorsque quelque chose lui échappe, il se gratte la joue avec agacement. En réalité, il n'arrive pas à se concentrer sur le rapport de ses « sujets » et semble pressé d'en finir. Afin de ne pas trahir son désintéressement, il daigne poser une question anodine par-ci ou faire une remarque hasardeuse par-là. La seule fois où il émerge totalement de son ennui, c'est pour se focaliser sur le rapport financier. Ce dernier paraît le satisfaire. Il félicite l'équipe pour sa rentabilité et lève la séance.

Après le briefing, Ed se rend dans son bureau. Sido Lamine, son secrétaire particulier, est déjà là, à ranger les dossiers en instance. Ed n'a confiance qu'en lui. Issus de la même gangue, ils s'étaient connus dans les années 1970 au Douniazed, un cinoche consacré aux films hindous. Ed gérait la caisse, Sido était tantôt guichetier, tantôt ouvreur. Ils s'entendaient à merveille. Sous couvert du gérant, ils écoulaient des tickets au marché noir et détournaient régulièrement une bonne partie des recettes. Tandis que Sido claquait son fric à droite et à gauche, Ed faisait fructifier le sien et, en moins de cinq ans, il se mit à son propre compte, se paya un petit kiosque à journaux, puis deux, puis trois, une succursale dans les quartiers populeux, investit dans la friperie de chez Tati qu'il achetait en gros auprès des douanes, s'offrit un resto à la Madrague et une maison de passe sur la corniche où venaient se distraire les pontes. Grâce à son sans-gêne, Ed brassa large et tous azimuts et parvint à accéder aux hautes sphères. Une fois propulsé jusqu'aux cercles des décideurs, il repêcha Sido devenu soûlard pour le formater à ses nouvelles ambitions. Sido ne tarda pas à se découvrir un talent exceptionnel en matière de gestion et une loyauté exemplaire vis-à-vis de son patron qu'il servait et assistait depuis quarante ans.

— Ça s'est passé comment, avec Hamerlaine ? demande Sido en écartant les rideaux de la baie vitrée.

— Il fait une fixation sur Amar Daho.

— Il ne lui a laissé que les os.

— Je suis fatigué de les ronger à sa place. Tu as trouvé quelque chose, de ton côté ?

— J'ai une petite idée, mais Omar Sfa n'est pas chaud.

— Qui a dit à Hamerlaine que j'étais en Espagne ?

— Personne n'était au courant. Mais il lui suffit d'appeler l'aéroport pour savoir qui a quitté le territoire national, quel jour et à quelle heure, avec en prime le poids de ses bagages et leur contenu dûment scanné...

Sido s'assied sur une chaise et pose ses pieds sur un guéridon en bronze. Il dit, après une profonde méditation :

— Tu sais, Eddie ? Les gens commencent à trouver curieux notre acharnement sur l'ancien ministre Amar Daho. Nous avons reçu pas mal de lettres anonymes qui nous traitent de tous les noms, sans compter les commentaires orduriers sur le Web.

— Laisse aboyer les chiens. C'est leur vocation, non ?

— Les chiens mordent aussi, surtout lorsqu'ils ont la rage. Cette histoire va finir par se retourner contre nous.

Ed lisse l'arête de son nez, les sourcils froncés.

— Ce n'est pas moi qui veux la queue et les oreilles de Daho, mais Hamerlaine. Qui oserait dire non à Hamerlaine ? Il gère le destin de toutes choses dans ce pays...

— Certes, sauf que...

— Sauf que quoi, putain ! Tu es sur quelle planète ? Ce que Hamerlaine décide, personne ne peut le contester... Tu n'as pas une bonne nouvelle à me fourguer ? Je n'ai pas fermé l'œil de la nuit.

— Il y en a un tas... dit Sido pour se racheter. Notre chiffre d'affaires dépasse largement nos prévisions les plus optimistes.

— Et le contrat Seynooks ?

— Nous rencontrons les négociants dans deux semaines.

— Ça se présente comment ?

— On croise les doigts, mais pas les bras.

— Ce n'est pas une réponse.

Sido se lève, marche jusqu'à la baie vitrée et revient poser une fesse sur le coin du bureau. Il considère son patron, une petite ride sur le front.

— On n'est pas les seuls sur le projet, Eddie. Et nos rivaux sont gourmands. Nous avons fait le nécessaire, mais nous ignorons comment procèdent les autres.

— Je n'aime pas la petite voix que tu prends, Sido. Je veux ce projet.

— Moi aussi, Eddie, moi aussi. J'ai mis nos plus fins limiers sur l'affaire. Nous avons graissé des pattes jusqu'à ramollir leurs griffes et obligé deux concurrents à se retirer de la compétition. Restent le groupe Dzaïr Room, les frères Soltani et Magic Store, et ils refusent de nous céder la place.

— Ils sont coriaces, mais nous sommes futés. Nous devons trouver la bonne formule. Je tiens à Seynooks, absolument. Ce serait notre unique brèche pour nous tailler d'ici au cas où les choses tourneraient mal. La situation au pays s'enfielle, et la colère des rues résonne dans nos murs. Je me vois mal avec une insurrection populaire sur les bras.

Sido se relève ; il paraît moins tendu que son patron.

— L'Algérie a fait sa crise, Eddie. Je ne pense pas qu'elle ait envie de récidiver. Les voyants sont au rouge, certes, mais il n'y aura pas de crash.

— Je l'espère, Sido, de tout mon cœur.

— Parce que tu en as un, patron ? C'est toi qui m'as appris que cet organe est source de désillusions, que la meilleure façon de vivre pleinement sa vie serait de le ranger au placard.

— C'est pas faux... Maintenant, tire-toi, j'ai un coup de fil à donner.

— Je suis déjà parti... Ah ! J'allais oublier. Il y a deux intellos qui s'impatientent depuis une plombe dans la salle de réception.

— De bon matin, c'est mauvais signe. Lorsque deux intellectuels algériens s'entendent...

— ... c'est toujours au détriment d'un troisième, poursuit Sido en refermant la porte derrière lui.

10.

Deux jeunes gens se morfondent dans la salle de réception, enchâssés dans des fauteuils en cuir grenat. Il s'agit de J'ha, fondateur d'une maison d'édition cotée, et d'un romancier franco-algérien venu de Paris faire la promotion de son dernier opus. La longue attente au bout du couloir a un peu esquinté leur mine qu'un large sourire sauve in extremis de la décomposition lorsque Ed Dayem les rejoint enfin.

Ce dernier s'empresse de les inviter à se rasseoir :

— Désolé de vous avoir fait patienter. Je rentre d'une tournée en Europe et j'ai pas mal de dossiers urgents à traiter.

— C'est ma faute, dit l'éditeur magnanime. Je suis venu sans rendez-vous.

— Tu es chez toi, ici, J'ha. Tu n'as pas besoin de t'annoncer... (Il consulte ostensiblement sa montre.) Alors, qu'est-ce que je peux faire pour toi ?

— Je viens de rééditer ce jeune auteur. Il a un talent fou. J'aimerais que tu nous aides à mieux le faire connaître dans le pays.

— Il a un nom, ton prodige ?

— Pardon, j'ai oublié les usages. Cher Eddie, je te présente Baasous Llaz, un écrivain...

— Ah !... l'interrompt Ed, le terrible pourfendeur de notre plus célèbre écrivain.

Le jeune romancier défronce les sourcils, flatté d'être connu par l'un des plus grands magnats de la presse algérienne.

— J'ai lu ses copier-coller. Quelle rage ! Quelle démence ! Je suis sur le cul. S'il m'avait proposé ses services, je l'aurais recruté sur-le-champ. Ouvrir un blog sur des sites de renom tels que celui du *Nouvel Obs* et Mediapart, y déverser des allégations ignobles et faire croire que ce sont ces sites-là qui vilipendent notre célèbre écrivain, franchement, il fallait y penser.

Ne comprenant pas où Ed Dayem veut en venir, le jeune romancier ne sait plus s'il doit garder le sourire ou s'en défaire.

Le magnat extirpe un petit bloc-notes de la poche intérieure de sa veste, s'arrête sur une page et lit à haute voix :

— *Selon Malek Bennabi, il y a le colonisé et il y a le colonisable. Les colonisés aspirent à se soustraire au joug qui les assujettit ; les colonisables, même libres, ont constamment besoin d'un maître. Certains se bradent sur la place de Paris et, ne trouvant pas preneurs, ils s'acharnent sur ceux qui réussissent. D'autres s'engouffrent allégrement dans les lobbies hostiles à ce qui est beau et grand chez nous et contribuent, avec un rare dévouement, à défigurer l'image de nos justes en espérant se donner une visibilité. Ils seront acclamés, distingués, vantés, puis forcés de dire, en signe de reconnaissance servile, exactement ce que leurs maîtres veulent entendre car il n'est plus savoureuse victoire pour nos ennemis que de voir notre pays traîné dans la boue par ses propres rejetons.*

J'ha subodore dans l'air un relent déplaisant.

— C'est de qui ? demande-t-il.

— De bibi, s'exclame le magnat avec fierté.

— Bizarre...

Ed Dayem revient au romancier :

— Dites-moi, monsieur Llaz, qui est donc ce fameux Jonathan Klein que vous exhibez en guise de pièce à conviction en bas de vos torchons enflammés ?

— C'est un Américain, de l'université de Bakersfield.

— Étrange. Nous avons contacté l'université de Bakersfield ; le bonhomme en question est inconnu au bataillon. Quant à sa fameuse encyclopédie, dans laquelle il accuse notre gloire nationale de plagiat, aucune trace.

— Jonathan Klein existe bel et bien. Il m'a écrit.

— C'est peut-être J'ha qui vous a écrit. Il a l'habitude de faire signer ses petites lâchetés par ses nouvelles recrues. Et puis, franchement, vous êtes qui pour que l'on vous écrive ? Le *Washington Post*, *Le Canard enchaîné*, *El País*, *Politiken*, *Der Spiegel* ? Si c'était vrai, croyez-vous que les médias qui ont encensé notre illustre auteur attendraient votre feu vert pour le lyncher ? Vous vous êtes taillé un costume trop grand pour vous, monsieur Llaz. Jonathan Klein n'est pas un Américain, mais un Algérien bien de chez nous, un intello *kahl-arras* comme seule notre chère patrie est capable d'en crotter, un putain de sa race de bicot malade de jalousie qui pense lever un tsunami en jetant un pavé dans la mare... N'est-ce pas, J'ha ? ajoute-t-il en toisant intensément l'éditeur qui ne bronche pas.

— Je ne vous crois pas, s'écrie le jeune auteur.
— Vous arrive-t-il de croire en quelque chose ? monsieur Llaz.
— Quel est donc son vrai nom ?
— Nous le gardons pour nous, à toutes fins utiles... Il faut que vous sachiez une chose, monsieur Llaz. La diffamation est un art, voire une profession de foi pour les initiés. Elle repose exclusivement sur deux critères essentiels : la crédulité des lambdas et l'« intraçabilité » des données. Or, toutes vos supputations sont vérifiables et démontables en quelques clics. Mais je suppose que c'est là le cadet de vos soucis. Ce qui compte, c'est de vous donner une visibilité, et qu'importe la manière. Savez-vous ce qu'il arrive aux papillons de nuit ? À force de graviter autour d'une source de lumière, ils finissent cramés... Vos stupides élucubrations n'enthousiasment que les minables de votre acabit et les paranos du Web.
— Je ne suis pas un minable.
— Vous vous définiriez comment ?
— Ça ne vous regarde pas. Et puis vous n'avez rien vérifié du tout. Vous me faites marcher. Vous ne savez que dalle.
— Oh ! que si. Nous en savons des vertes et des pas mûres sur beaucoup, beaucoup de gens au-dessus de tout soupçon. Nous savons, par exemple, que notre ami J'ha, ici présent, chapeaute un vaste réseau de scribouillards obscurs, de journaleux déprimés et de détracteurs assermentés, qu'il est un manipulateur hors pair et qu'il lèche le cul des Français mieux que personne.
— C'est plus classe que de lécher le cul des blédards, dit l'éditeur avec détachement.

— C'est peut-être plus classe, mais moins hygiénique. Un blédard fait ses ablutions cinq fois par jour.

Ed pointe sa cigarette sur le jeune écrivain :

— Nous savons des choses sur vous aussi, monsieur Llaz.

Llaz éclate de rire :

— Je n'ai rien à me reprocher, monsieur Dayem. Je ne fais pas de politique et je ne suis pas dans les affaires.

Ed Dayem ricane sans quitter des yeux le Parisien.

— La pourriture n'est pas toujours là où l'on croit, monsieur Llaz. Le petit milieu que vous avez rejoint est une mafia, sans le code de l'honneur bien sûr...

— Et qu'avez-vous sur moi, monsieur Dayem ? le défie l'écrivain.

— Un tas de choses. Nous savons, par exemple, que lorsque notre célèbre écrivain sort une nouveauté, et sans même lire le bouquin, vous vous précipitez sur fnac.com pour lui coller une étoile orpheline et un commentaire désastreux dans l'espoir de dissuader les lecteurs potentiels. Nous savons aussi qu'après cet exploit vous passez des mois et des mois à valider vos propres commentaires. Il faut être un authentique bougnoule pour outrepasser à ce point les limites de l'infamie... Dites-moi, monsieur Llaz, vous validez seul vos commentaires ou vous vous faites aider par des amis ? Figurez-vous, je me suis amusé à faire le compte : vous les avez validés plus de trois mille cinq cents fois. Énorme ! Et là, mon p'tit gars, on n'est plus dans le harcèlement, on est carrément dans la démence.

L'éditeur se dresse d'un bond, excédé :

— Tu dépasses les bornes, Eddie.

— Je crains que je ne sois pas le seul.

— Nous n'avons pas de leçons de morale à recevoir de toi.

— Je n'en doute aucunement.

— Il me semble que tu oublies un détail, Eddie. En matière d'intox, je ne vois pas qui te raflerait la palme. C'est toi, monsieur l'Information, tu passes ton temps à descendre en flammes les uns et les autres à coups de scoops bidons et de révélations scabreuses. Tu participes tous les jours au lynchage de ceux qui ne pratiquent pas ton langage et élèves au rang d'idoles les vauriens...

— Je ne le nie pas. Mais moi, j'ai un empire à protéger, des alliances à consolider, un harem de putains à entretenir et une forêt de pattes à graisser. Et vous, quel est donc votre objectif majeur en diffamant notre grand écrivain ? Pensez-vous, en le défigurant, lifter votre image et rayonner à sa place ? Il s'agit de talent. On l'a ou on ne l'a pas... Lorsque je dégomme un rival, je m'octroie ses réseaux. Que gagnez-vous au change, vous ? La satisfaction d'éteindre une lueur pour que tout le monde retourne dans l'obscurité ?

Ce que J'ha, Llaz et Ed Dayem ignorent, c'est qu'à cet instant précis ils incarnent le *paradoxe algérien*. Tous les trois appartiennent non pas à la race humaine, mais à l'espèce humaine, à cette catégorie de fous furieux incapables de générosité, mus par le besoin morbide de nuire, tellement tristes que si l'on venait à étaler sous leurs yeux toutes les splendeurs de la Terre, ils ne verraient que leur propre laideur. Est-ce pour garder un semblant de lumière par rapport à ses jumeaux enténébrés que Dayem est furieux ? Pour le magnat, on n'a pas le droit de s'attaquer à celui qui redore l'image des Algériens sous d'autres cieux et qu'il voit comme une sorte de prouesse susceptible de rendre la déconfiture nationale moins insupportable. Bien qu'il mesure parfaitement l'étendue de son encanaillement, et par on ne sait quelle fibre patriotique encore active quelque part dans l'amas de dégénérescence et de violence qui le compose, Eddie considère que certaines valeurs, notamment celles qui ont débordé les frontières du pays, doivent être défendues. Par ailleurs, si les deux littérateurs réveillent en lui un vieux démon, c'est parce qu'ils sont un peu son miroir ; ils lui renvoient sa propre image, celle qui le dérange la nuit quand il est seul dans son lit : l'image de l'horreur bicéphale qu'il est devenu.

L'éditeur serre les dents pour contenir sa colère. D'un signe de la tête, il somme le jeune romancier de se lever.

— Tu me déçois, Eddie. Tu me fends le cœur.

— Ah ! Le cœur, toujours ce foutu cœur qui se manifeste pour parer aux défections... J'aimerais regarder dans ta poitrine, J'ha. Ce qui pompe ton sang n'est pas un organe, mais ta vilenie. Tu es aussi putride qu'une gangrène et aussi lamentable qu'un incident de parcours.

— Nous ne sommes pas venus nous faire insulter.

— En ce qui vous concerne, personne n'est obligé de prendre cette peine. Chez les bougnoules de votre espèce, l'insulte coule de source.

J'ha crispe les mâchoires et les poings, à court de reparties. Son regard noir se disperse dans la pièce en quête d'une réplique percutante, revient bredouille sur la table en verre, puis sur le tapis persan, échoue sur les chaussures crottées du Franco-Algérien avant de s'agripper au rictus dédaigneux du nabab.

— Tu es complètement bourré, Eddie, s'entend-il haleter.

— Ce sont les petites frappes dans votre genre qui me soûlent. Lève le pied et chausse-toi à ta juste pointure, bonhomme. Si ça empêche de se donner fière allure, ça aide à marcher droit. Et dis-toi ceci : il y a une hiérarchie en toute chose. Et en toute discipline. On ne met pas sur un même socle la diva et la pleureuse des veillées funèbres, les superstars et les étoiles filantes, l'érudit et le cuistre, l'écrivain trempé et le plumitif zélé. Quand on n'arrive pas à la cheville de quelqu'un, en creusant sous son pied, on ne fait que s'enfoncer un peu plus. Trouve un sens à ta vie, tête de lard, et tâche de garder le cap.

Il se tourne vers le romancier et poursuit :

— La jalousie est un déni de soi, jeune homme. Ça rend triste et mauvais sans rien compenser. Les seuls moments qui importent sont ceux qui nous donnent un peu de joie. Le reste n'est que gâchis. Tu veux écrire, écris. Ce n'est pas en contestant le talent des autres qu'on a des chances d'affermir le sien. Le don, ça ne se négocie pas. Tu veux un conseil ? Change de métier, change de sexe ou de religion, mais n'essaye pas de changer l'or en boue. Tu ne gagnerais pas au troc et, au bout du compte, tu finirais par perdre ton âme.

— Amen... maugrée J'ha en poussant son protégé vers la sortie. À t'entendre, cher Eddie, on te confierait la République les yeux fermés. Mais à te voir tresser tes toiles d'araignées et dissimuler tes pièges partout, le bon Dieu lui-même regarderait deux fois sous son lit avant de se coucher.

L'éditeur et son protégé quittent la salle, la bouche pleine d'écume.

11.

Après le départ de J'ha et de son protégé, Ed reste songeur, puis, d'un geste instinctif, il décoiffe son paquet de cigarettes, visse une nouvelle Marlboro au coin de ses lèvres et fouille dans ses poches en quête de son briquet.

Une main velue lui tend le feu.

Ed redresse le menton. Un gros personnage à la figure cramoisie est penché sur lui.

— Qu'est-ce que tu as bien pu leur sortir, à ces deux jeunes gens, pour que leurs gueules soient amochées à ce point ?

— Elles étaient déjà moches avant qu'ils sortent du ventre de leur mère.

— Pourtant, tu l'aimais bien, J'ha.

— Je n'ai jamais aimé ces intellos narcissiques et daltoniens. Les nôtres se croient les meilleurs au monde et sont les premiers à contester les meilleurs d'entre eux.

Omar Sfa récupère son briquet et s'affaisse lourdement dans le fauteuil qu'occupait l'éditeur quelques minutes plus tôt. Le siège grince sous sa carcasse pachydermique.

En regardant l'énorme ventre de son rédacteur en chef déborder en une coulée gélatineuse, Ed ne peut s'empêcher de se demander si la nature ne se paie pas la tête des gens.

— Le problème de notre nation...

— Laisse la nation tranquille, Omar. Le peuple n'a rien à voir avec nos saloperies.

— Façon de parler.

— Trouve autre chose. On ne réduit pas une nation occultée à une foutue minorité visible plus occupée à se donner en spectacle qu'à fasciner.

Omar Sfa acquiesce :

— OK, patron, disons que le problème du *pays* repose sur deux béquilles retorses : l'élite politique et l'élite pensante. La première est une caisse de résonance, la seconde est un tambour funèbre...

Ed l'arrête d'un geste irrité :

— Faux ! Le problème est foncièrement culturel. Nous avons une sale mentalité. Qu'un célèbre humoriste vienne nous divertir, on lui rentre dans les plumes. Qu'un réalisateur nous gratifie d'une avant-première mondiale, on le descend en flammes. On se dépêche de répandre n'importe quelle foutaise trouvée sur le Web et on passe sous silence des consécrations tonitruantes. S'agit-il d'une fatalité, d'une pathologie ou d'une nature ?

— C'est pourtant notre ligne éditoriale, Eddie. Nous ne pouvons pas reprocher aux autres ce que nous excellons à mettre sous presse tous les jours.

— C'est vrai, mais pourquoi sommes-nous si méchants ?

— Parce que nous crapahutons encore au stade anal du moi, Eddie... La faute incombe au système. C'est lui qui pousse ses enfants à la folie en leur refusant le droit d'être heureux chez eux.

Ed tire sur sa cigarette avec nervosité :

— Je ne suis pas d'accord. Le système n'est que la toile de fond de notre veulerie... Je n'ai jamais réussi à situer l'origine de cette détestation forcenée que les intellos et les artistes de chez nous se vouent sans trêve et sans merci. Tu te rends compte ? Tu ne ferais pas rencontrer deux éditeurs, deux peintres, deux comédiens, deux musiciens, deux littérateurs sans déclencher les foudres du ciel. Toujours à se couper l'herbe sous le pied, à s'inventer des ragots épouvantables et à dégainer leur tronçonneuse dès que l'un d'eux donne un signe de vie. Qui sommes-nous au juste, bordel ?

Omar a du mal à croiser les genoux. Il se contente d'écarter les jambes sur une braguette démesurée, se trémousse pour se caser dans le fauteuil trop exigu pour lui. Il dit :

— Nous sommes une intelligentsia née de la confusion des genres. Nous ne croyons pas dans l'individu, encore moins dans sa capacité à se substituer à une communauté stigmatisée. Nous sommes des êtres aigris ; la contestation et le déni sont nos armes de destruction massive. Quelqu'un a dit : « Celui qui ne sait pas s'émerveiller est un malheur itinérant. » Or, le malheur est parfois bon à quelque chose, et nous ne sommes bons à rien. Nous érigeons nos repères en fonction de nos frustrations. Chez nous, le talent d'un congénère ne nous grandit pas, il nous renvoie à notre nullité.

— Vas-y mollo, Omar, je n'ai pas encore digéré mon petit déjeuner.

— J'essaye de t'expliquer les choses.

— Merci, mais le défaitisme m'horripile plus que le narcissisme... Tu as l'air de quelqu'un qui sort d'une piscine remplie d'alligators. Qu'est-ce qui ne va pas ?

— Je suis venu te remettre ma démission.

Ed plisse le front.

— Si c'est une blague, je la trouve de mauvais goût. Il y a à peine trois mois, j'ai doublé ton salaire. Tu penses que ce n'est pas assez ?

— Il ne s'agit pas d'argent, Eddie.

— Un autre canard t'a proposé plus ?

— Je te dis que ce n'est pas une question d'argent.

— Alors, c'est quoi, le problème ?

— Je rends le tablier. Il m'étouffe comme une camisole.

— Prends un congé. Va à Taghit ou bien à Rome. Tu mettras tes dépenses sur les frais de mission.

— Ce n'est pas ça, Eddie. Le métier me fatigue. J'en ai marre de taper sur des gens qui ne m'ont rien fait, de piéger les gros bonnets pour que d'autres gros bonnets raflent la mise, de fouiller dans les merdiers pour y dénicher de quoi me faire passer pour un redresseur de torts. Ce n'est plus de l'information, Eddie. Et j'ai peur de ce que je suis en train de devenir.

Ed éclate de rire.

— Tu n'as pas loupé un épisode, mais toute la série, Omar. Le journalisme-information est une obsolescence. C'est l'ère du journalisme-opinion. C'est toi qui formates les esprits. Tu as le pouvoir de dévoiler le secret des dieux et de l'instruction, de rendre la sentence avant les juges et d'exécuter le suspect avant le bourreau. Il est dans tes prérogatives d'atomiser les géants, de déifier les charlatans, de rabaisser le génie à ras les paillassons, de pendre haut et court n'importe qui. Chaque matin, les gens se précipitent sur notre canard pour s'abreuver de ton encre. Ta chronique les intéresse, elle est leur vérité... Ton pouvoir n'a pas de limite, Omar. Alors dis, sévis, ébranle les trônes, déclenche les guerres, corse les polémiques et refais l'homme à ton image puisque ta parole est d'Évangile et ton verdict aussi implacable que le Jugement dernier.

— Justement, Eddie, justement. Je ne veux pas être ce que je ne suis pas.

Ed se frotte laborieusement derrière l'oreille :

— Tu as reçu des menaces ?

— Pire. Nous avons fait trop de mal à notre pays avec nos règlements de comptes qui n'en finissent pas, nos guerres de tranchées et nos révélations abracadabrantesques. Je suis crevé, usé jusqu'à la fibre sensible. Il nous faut trouver tous les jours un scandale à rentabiliser et, tous les jours, notre peuple se découvre une malédiction à assumer. Hier, je me suis demandé si j'avais une conscience ou bien juste une tribune pour cracher mon venin sur tout ce qui bouge en toute impunité. Ce matin, en me rasant, je n'ai pas osé soutenir mon regard dans la glace... Je ne suis pas fier de moi, Eddie, je t'assure. Je dénonce, traque, lève le gibier à travers mes éditos carabinés, traîne dans la boue les rapaces et les reptiles, pourtant, quand je me relis, je m'aperçois que je n'ai pas grand-chose à leur envier.

Ed est à deux doigts d'imploser, mais il ne laisse rien transparaître de sa colère. Il écrase sa cigarette dans un cendrier en cristal, tape dans ses mains à la manière des despotes, à intervalles espacés.

— Bravo. Quelle rédemption ! J'en ai la chair de poule. Tu devrais t'essayer au théâtre, Omar. Tu ferais pleurer le public dans les salles à le noyer dans ses larmes.

Le ton d'Ed est détimbré, raide comme une corde ; un souffle funeste traverse le rédacteur en chef de part en part.

— Tu en as mis du temps pour te découvrir une conscience, Omar.

— Il ne s'agit pas de conscience, mais de déontologie.

— Déontologie. Le grand mot. Tout juste bon à impressionner les nigauds. Aussi creux et fallacieux qu'une devise sur le fronton d'une mairie.

Une jeune fille arrive avec un plateau chargé de tasses de café et de brioches. Ed la congédie d'un cri sismique.

— La porte, bordel !

La jeune fille revient précipitamment fermer la porte. On entend une tasse se fracasser au sol et des talons aiguilles se dépêcher d'évacuer les lieux.

Ed respire pour contenir la toxine qui vient de s'ancrer en lui, scrute ses ongles en silence. Sa respiration rappelle la reptation d'un serpent, imperceptible et mortelle à la fois.

Omar Sfa a la figure ruisselante de sueur : il ne l'essuie pas. Il attend la sentence, cramponné aux lèvres de son patron.

— Je la refuse, Omar. Je refuse ta démission. Nous avons signé un contrat, et tu n'as pas intérêt à le résilier sur un coup de tête.

— C'est ma décision, Eddie. Je me barre, aucune amarre n'est assez solide pour me retenir.

— Tu penses que le bateau va couler ?

— J'en ai rien à cirer du bateau, Eddie. Je bosse pour toi depuis quinze ans. Maintenant je rends le tablier. J'avoue qu'il est moins propre qu'à la réception, mais, vu la fange où tu m'envoyais chercher la perle rare, il fallait s'y attendre. Je veux partir comme je suis venu, Eddie. Sans tapage ni lamentations. J'ai roulé pour toi dans tous les sens, les œillères bien droites et la plume hautement vénéneuse. Il se trouve qu'aujourd'hui mes pneus sont usés et que je suis sur la jante. Je pars à la fourrière me recycler.

— Je ne te laisserai même pas partir à la casse, Omar. J'ai encore besoin de toi. Sido n'a pas essayé de te joindre, hier soir ?

— Hier soir ? fait Omar avec dépit. Tu parles ! Ton cher secrétaire particulier m'a appelé à 3 h 47 précises. J'ai cru que le Président était mort ou que Ben Laden avait ressuscité. Je dormais, putain ! Profondément. Et Sido qui me dit, au bout du fil : « Je crois que j'ai trouvé comment clouer définitivement le bec de Amar Daho. » S'il m'avait été possible de plonger mon bras dans le combiné, j'aurais saisi ton Sido par la gorge jusqu'à lui faire sortir ses amygdales par les oreilles. M'appeler à 3 h 47 du matin pour ça ! Il me prend pour qui ?

— C'est moi qui l'ai chargé de trouver une faille dans la cuirasse d'Amar Daho. Un manitou réclame sa tête. Sido a passé au crible un tas de dossiers et d'archives, toute la journée et toute la soirée. Quand il a pensé avoir trouvé, il était tellement heureux de partager sa découverte avec toi qu'il n'a pas vu l'heure qu'il était. Et puis, ce n'est pas la fin du monde. Il m'arrive d'être réveillé à des heures impossibles, moi aussi, souvent pour des prunes ou des fausses alertes.

C'est notre métier de veiller au grain, Omar. On ne démissionne pas pour un coup de fil reçu à 3 h 47 du matin.

— Je démissionne pour l'objet de l'appel, Eddie. Sido m'a dit : « J'ai une suggestion à te faire. » J'ai dit : « Ça peut pas attendre demain ? » Sido a dit : « Non. » Je lui ai dit : « C'est quoi, ta suggestion ? » Sido a dit : « J'ai sous les yeux un document signé par un psy. Amar Daho avait une fille autiste. Elle s'est suicidée en 1992. Elle avait quatorze ans. » J'ai dit : « Et alors ? » Sido a dit : « Il y a un filon à exploiter dans cette histoire. On pourrait supposer que la gamine n'était pas autiste, mais dépressive, et qu'elle s'est suicidée parce qu'elle ne supportait plus d'être violée par son père. » Et tu sais quoi, Eddie ? J'ai relâché le combiné du téléphone comme si d'un coup je tenais l'enfer du Ciel dans le creux de la main et j'ai couru dégueuler dans le bidet. En relevant la tête, qu'ai-je vu dans la glace ? Le diable !

— Je trouve la suggestion de Sido un peu excessive...

— Un peu excessive, Eddie ? C'est la plus effroyable chose qui puisse surgir d'un esprit maudit. Et j'ai réalisé combien je suis maudit, moi aussi. Sous mes yeux ont défilé tous les gars que j'ai crucifiés à la une des canards, tous les salauds que j'ai cloués au pilori, tous les minables que j'ai exécutés dans mes éditos, et j'ai constaté, à 3 h 57 pile, combien les ripous et moi étions les asticots d'une même merde et qu'il n'est pire pourriture que celui qui la dénonce tout en l'incarnant... Alors, je suis retourné dans ma chambre, j'ai regardé ma femme dormir, puis mes enfants dans la pièce à côté, et je me suis demandé ce qu'ils penseraient de moi s'ils apprenaient que derrière le héros que je suis à leurs yeux plastronne un fumier de la pire espèce.

Omar Sfa remue ciel et terre pour extraire sa carcasse du fauteuil, retire une enveloppe de la poche intérieure de sa veste et la pose sur la table en verre :

— Ma démission, Eddie... Et surtout, n'essaye pas de me dissuader ou de me contacter. Je ne veux plus entendre parler de toi ni ouvrir un seul de tes journaux à partir d'aujourd'hui. Et si, par je ne sais quelle ironie du sort, nos chemins se croisaient au paradis, je me ferais muter d'office en enfer pour ne plus jamais te revoir.

Sur ce, il s'en va, laissant Ed Dayem bouche bée.

12.

22 h 40.

Il bruine sur les hauteurs d'Alger. Les rues désertes sont livrées aux chats de gouttière que l'on devine, tels des djinns, en train d'opérer méthodiquement au fond des poubelles. Des sachets lacérés livrent leurs détritus à l'eau de pluie pour qu'elle les étende davantage sur le trottoir. Quelques lampadaires épargnés par le vandalisme des gosses bigarrent la chaussée de traînées jaunâtres. Les gens sont calfeutrés chez eux, rivés à leurs banquettes damassées ; ils se dopent de séries télé turques ou zappent tous azimuts en quête d'un match de foot.

Alger, la nuit, est une nature morte, une nécropole parallèle où les esprits frappeurs se font aussi discrets que les marabouts.

Nora fume, embusquée derrière le volant de sa voiture personnelle, une Renault Clio qu'elle n'a pas fini de rembourser. Le cendrier déborde de mégots. En face, l'enseigne au néon d'un hôtel clignote de façon irrégulière, trois lettres récalcitrantes. Nora connaît bien l'établissement. Derrière ses airs de dortoir pour transitaires paumés, l'hôtel reçoit la faune nocturne. La passe est à deux mille dinars l'heure, et la nuitée n'est pas à la portée de toutes les bourses.

Nora n'est pas là pour l'hôtel, mais pour le restaurant d'à côté, Le Tanit, une gargote aux allures de repaire de brigands où la bouffe laisse à désirer, mais qui a l'avantage d'être tout près de l'hôtel de passe au cas où les dîneurs auraient de la suite dans les idées. Nora sait que Sonia est attablée avec un « client » à l'intérieur du resto et attend qu'elle sorte pour l'intercepter. Elle peut très bien aller la chercher, mais Sonia est capable de se donner en spectacle comme elle seule sait le faire lorsqu'elle est bourrée.

Vers 22 h 50, deux jeunes gens sortent du resto, bras dessus, bras dessous, le pas incertain. Ils sont ivres et s'arrêtent tous les deux mètres pour rigoler à gorge déployée. L'homme est haut et maigre, flottant dans un trench-coat démodé. Sonia porte un manteau de fourrure synthétique et des bottes en cuir. Elle vacille sur ses talons.

Nora les laisse s'éloigner sous la pluie avant de courir les rattraper. Elle saisit Sonia par le bras et l'arrache à son compagnon.

— Qu'est-ce que tu fiches par ici, bon sang ?

— Bas les pattes, lui crie Sonia en reculant si fort qu'elle manque de glisser dans une fondrière.

Nora lui tord le bras et la pousse vers la Clio. Sonia tente de se libérer, jure, se contorsionne ; l'étreinte est solide, et ses efforts l'essoufflent rapidement. Le jeune homme, qui est resté perplexe au début, s'aperçoit qu'on lui vole sa proie. Il se dépêche de la récupérer.

— Hé ! cette fille est à moi.

— Plus maintenant, rétorque Nora en exhibant sa

plaque de police. Retourne d'où tu viens si tu ne tiens pas à passer la nuit au poste.

— Le stalinisme algérien est révolu...

— Tu te trompes grossièrement, face de rat, il a empiré.

Trop ivre pour lâcher prise, l'homme poursuit les deux femmes jusqu'à la Renault.

— Je t'invite, si tu veux, dit-il à Nora. Je ne me suis pas encore tapé de flic. Je vous promets la totale, à toutes les deux. J'ai une queue si longue que je la claque comme un fouet.

— Si elle est aussi longue que tu le prétends, assieds-toi dessus et, après, pends-toi avec.

Nora catapulte Sonia à l'intérieur de la Renault, saute derrière le volant et démarre, bousculant de l'aile le jeune homme planté sur la chaussée.

— Qu'espères-tu tirer d'un ringard fauché ce soir, idiote ? lance-t-elle à Sonia en appuyant sur l'accélérateur comme si elle écrasait la tête d'un serpent.

Sonia ne répond pas. Elle est couchée contre la portière et elle dort.

À la même heure, Ed Dayem est chez lui, en compagnie de Nassera, une étudiante de vingt-deux ans belle comme une gazelle surgie d'une oasis enchantée. Ils ont fait l'amour ; maintenant ils trinquent à leur orgasme, Ed dans un fauteuil pharaonique, la fille sur le bord du lit, les seins en l'air et le string par terre.

Ed avait rencontré Nassera deux ans plus tôt. Il l'avait prise en stop sur la rocade alors qu'elle sortait de l'université. Elle n'était pas bien, ce jour-là. Sa frimousse était tendue comme une crampe et ses yeux perlaient de larmes. Ed lui avait demandé ce qui n'allait pas. Nassera lui avait raconté que son professeur lui collait des notes catastrophiques parce qu'elle refusait de coucher avec lui, et que, s'il continuait de la sorte, elle échouerait à tous les modules, et après elle n'aurait qu'à se jeter par la fenêtre. « Il a un blaze, ton obsédé de prof ? — Il s'appelle M. Khaled Jebbour... » Ed s'était rangé sur le bas-côté de la route pour appeler le recteur de l'université en personne sur son portable. « Tu as un certain Khaled Jebbour sur ton organigramme ? Très bien. Je veux le trouver dans ton bureau dans une heure... Tu ne sais pas où il est ? Je m'en tape. Moi, je sais où le trouver dans une heure, Rabah, et tu n'as pas intérêt à me décevoir... » Ed avait raccroché en décochant un sourire protecteur à la fille. Une heure plus tard, Khaled Jebbour était dans le bureau du recteur, pâle, fiévreux, sur le point de faire dans son froc. Il avait suffi au recteur de citer le nom d'Ed Dayem pour que le pervers rapplique sur les rotules. Tout le Grand-Alger connaît Ed, le redoute et le caresse dans le sens du poil. Il est un peu le J. Edgar Hoover du bled. « Tu sais qui c'est, cette fille ? », avait-il demandé au professeur mort de trouille. « C'est mon élève, monsieur Dayem. — Faux, lui avait rétorqué Ed de sa voix cinglante, c'est ma nièce... » Sur ce, il s'était levé, avait pris la fille par le bras, et tous les deux avaient quitté le bureau du recteur. Ed n'avait pas besoin d'en dire plus. Le message était passé comme une lettre à la poste.

Une fois dans la voiture, Ed avait cligné de l'œil à la fille :

— Au fait, c'est quoi ton blaze, beauté ?

— Nassera...

— Eh bien, Nassera, à partir d'aujourd'hui, plus personne ne t'importunera.

— Merci.

— Tu fais quoi, comme études ?

— Médecine.

— Tu peux considérer ton diplôme comme acquis.

— Je suis impressionnée. Vous leur avez filé une de ces frousses, au prof et au recteur...

— Avec moi, même les durs à cuire renforcent leurs couches.

— Mais qui êtes-vous, monsieur ?

Et Ed, en toute simplicité :

— Dieu sur terre, avait-il dit en faisant rugir le moteur de sa Jaguar en guise de clameur.

Quelques heures plus tard, ils avaient célébré leur rencontre au lit.

Depuis, chaque fois qu'Ed a besoin de goûter à la chair fraîche, il l'appelle et elle vient, de jour comme de nuit.

Ed porte son verre de scotch à sa bouche en la fixant.

— Pourquoi me mates-tu ?

— Je te contemple. Tu es à croquer.

Elle s'esclaffe.

Ed devient sombre tout d'un coup.

— Que penses-tu de moi, beauté ?

— C'est-à-dire ?

— Quel genre de personne suis-je ?

— Est-ce important ? Tu es le roi du monde, les nababs te mangent dans la main. Tu claques des doigts et tes désirs se réalisent. Qu'est-ce que ça peut bien te faire de savoir ce que l'on pense de toi ?

— On a toujours besoin de savoir des choses.

— Moi, il m'importe peu de savoir si je suis ta maîtresse ou ta pute.

— Je ne parle pas de toi.

Il avale une gorgée et tend la main vers la bouteille sur la table de chevet pour se verser de nouveau à boire.

Son front se froisse lorsqu'il dit :

— Je connais sur le bout des doigts mes ennemis, lis dans leurs arrière-pensées comme dans un livre pour enfants, pourtant, s'il y a une personne qui m'échappe, c'est bien moi. Je connais au millimètre près l'étendue de mon influence, mais j'ignore totalement qui je suis.

— D'accord, fait la fille. Je vais te dire ce que je pense de toi. Tu es un vieux salaud plein aux as, et je t'aime bien.

— Tu penses vraiment que je suis un salaud ?

— Pas toi ?

Ed repose son verre sur la table de chevet et marche jusqu'à la fenêtre, nu, le postérieur avachi et la brioche tombante. Il contemple les lumières de la ville... Ah ! Alger, pense-t-il. Que reste-t-il des belles soirées où le beau monde se retrouvait juste pour ne pas se perdre de vue, des petites guéguerres que l'on se livrait avec panache, des complots réglés comme du papier à musique et des aventures extraconjugales que l'on consommait au nez et à la barbe des cocus pour rendre le risque plus exaltant ?

— La nuit quand je suis seul, je me tiens à cet endroit et je reste des heures à regarder dehors. J'observe les gens qui rentrent chez eux on ne sait d'où, d'autres qui errent dans le noir en quête de je ne sais quoi. Je suis convaincu qu'à des degrés différents ils portent tous quelque chose de moi. Ils lisent mes journaux, me voient à la télé, participent à leur insu à ma réussite. Pourtant, je n'ai pas le sentiment qu'ils existent pour de vrai. On dirait qu'ils sont le fruit de mon imagination, qu'il me suffit de fermer les yeux pour qu'ils disparaissent.

— Ne ferme pas les yeux quand je suis avec toi.

— Je suis sérieux, Nan, dit Ed en retournant dans son fauteuil. Ça me travaille chaque fois que je suis seul dans ma chambre. Qui suis-je, bon sang ? Dois-je me réjouir de ce qui m'arrive ou en pâtir ?

— S'il te plaît, Eddie, changeons de disque. Nous sommes là pour baiser, non pour philosopher.

— Y a pas que le sexe dans la vie.

— Qu'est-ce qu'il y aurait d'autre, d'après toi ?

— Tout le reste.

— Je te trouve bizarre, Eddie.

— Bizarre comment ?

— Tu es en train de tout gâcher. On était bien, il y a quelques minutes. Pourquoi faut-il que tu la ramènes. Si tu veux te confesser, je ne suis pas un curé.

— Me confesser ? Tu crois que j'ai un cas de conscience ? J'ignore ce que le mot conscience veut dire. Je me pose seulement des questions. Je n'ai ni instruction ni saint patron, et je suis à la tête d'un empire. J'ai dormi dans des enclos à bestiaux, rôdé autour des casernes pour trouver de quoi ne pas crever de faim, tiré sur des mégots jusqu'à me brûler les doigts et, hop ! du jour au lendemain, je suis le roi du monde. Pourquoi ? Pourquoi moi ?

— C'est ce que doivent se demander un tas de nos dirigeants, élus et milliardaires, Eddie. Beaucoup d'entre eux n'ont jamais ouvert un livre. Ils sont les miraculés d'un pays corrompu où l'on privilégie la médiocrité au détriment de la compétence et où l'on défigure les consciences pour que la laideur soit sauve. Sinon, comment expliquer que, malgré ses richesses inestimables, l'Algérie demeure pauvre en rêves et en ambitions et crapahute à la traîne des nations ?

— Tu ne vas peut-être pas me croire, mais j'ai de la peine pour notre patrie.

— On n'a que le pays qu'on mérite, Eddie. Il ne s'agit pas de fatalité.

— Je t'assure que j'ai peur pour les générations de demain.

— Elles s'en remettront.

Ed n'apprécie pas la lueur méprisante dans les yeux de la fille. Il s'approche d'elle pour la dévisager.

— Tu ne me crois pas quand je dis que j'ai de la peine pour notre patrie ?

— Non.

— Non ?

— Non !

Il la gifle si fort qu'elle tombe à la renverse. Le temps pour Ed de réaliser la gravité de son geste, trop tard, Nassera a sauté hors du lit, les cheveux sur la figure. Elle ramasse son string, son jean et ses baskets et court se rhabiller dans le salon. Ed la poursuit, les bras tendus de remords.

— Pardonne-moi, je ne sais pas ce qui m'a pris.

— Ne t'approche pas de moi, vieux con. Tu n'es qu'une brute avec du cambouis dans la citrouille. Je te déteste.

Elle enfile son jean, son pull, son veston en cuir, enroule une écharpe autour de son cou...

— Reste, je t'en prie, Nan... Ne me laisse pas seul.

— Je te laisse avec tes fantômes, sale fumier. On ne me gifle pas comme une pute à soldats.

— Je regrette... Je me rachèterai, je te le promets. Tu veux qu'on parte ailleurs pour le week-end ? À Paris, à

Palerme, à Prague ? C'est Alger qui me fout les jetons. Ailleurs, on ne penserait à rien d'autre qu'à nous deux.

— Ne cherche pas à me retenir, Eddie, je hurlerais jusqu'à ameuter tout le quartier.

— Nan, s'il te plaît, je t'aime.

— Pour aimer, il faut avoir une âme, et tu n'es qu'un étron grouillant d'asticots.

Elle finit de se rhabiller, sort sur le perron et claque la porte derrière elle avec une hargne telle qu'une toile de maître se décroche du mur et s'abîme sur le sol.

Au même moment, quelque part dans les soubassements de Bab el-Oued, le lieutenant Guerd tente de se noyer dans son verre. Enfoui dans une encoignure du Gosto, un bar interlope où il a l'habitude de se soûler aux frais de la maison, il a déjà sifflé un litron de tord-boyaux et en redemande. La journée a été rude pour lui. Se faire savonner par une « gonzesse » devant l'ensemble des collègues et en présence du divisionnaire sans moufter, cela ne lui ressemble guère. La commissaire Nora lui a sorti toutes les expressions ordurières qu'elle connaissait et n'a pas arrêté de lui agiter un doigt outrageant sous le nez. L'horloge du bureau affichait midi, mais on se serait cru à minuit tant tout lui paraissait noir. Sa tête résonne encore des menaces de son supérieur. Il a beau se prendre les tempes à deux mains, impossible de les étouffer. Ses collègues le toisaient en silence, et lui, tel un chenapan pris la main dans le sac, il n'osait pas placer un mot pour sauver la face. Bien sûr, se dit-il, si le divisionnaire n'avait pas été là, il aurait sorti son flingue et lavé son honneur dans le sang. Mais d'honneur, il n'en avait point. Jamais un vrai *D'Arguez*, un vrai *pisse-debout*, n'aurait accepté d'être humilié par une femme *galonnée ou pas* devant des hommes. Lui, qui arborait son appendice ventral en guise de sceptre, qui était persuadé que les femmes étaient faites pour procréer, nettoyer et se la boucler, il avait été servi. Si son père était encore de ce monde, il le renierait.

Du doigt, il fait signe au barman de lui apporter une autre bouteille. Autour de lui, quelques ivrognes font et défont le monde. Le Gosto est fréquenté par des comédiens courant le cachet prêts à signer des deux mains pour n'importe quel rôle de figurant dans un navet, des dockers abrutis de fatigue et des dealers en rupture de stock. Guerd n'aime pas l'endroit, mais depuis qu'il a sorti d'affaire le gérant impliqué dans une sombre histoire de vin frelaté, il se sent un peu chez lui.

Le barman pose la bouteille sur la table et retourne derrière son comptoir. Guerd boit au goulot, à la manière des poivrots qu'on voit s'esquinter à l'ombre des vespasiennes, pour montrer qu'il n'est pas bien, qu'il est dégoûté au point de n'avoir pas d'estime pour lui-même. Le barman le surveille du coin de l'œil, interrogeant de l'autre le gérant assis près de la porte au cas où un client tenterait de se tailler sans régler la note.

Vers minuit, Guerd s'aperçoit qu'il a du mal à lire les chiffres sur sa montre. Il demande l'heure à un voisin qui l'envoie balader, se lève en titubant et, les jambes cotonneuses, se traîne aux cabinets. Le commutateur, qu'il met un temps fou à trouver, fonctionne, mais l'ampoule ne s'allume pas. Tout en jurant, le lieutenant urine au hasard dans le noir, se rend compte qu'il arrose ses chaussures, pivote sur la droite et continue de se vider jusqu'à la dernière goutte. Il revient dans la salle ; la bouteille qu'il a laissée sur la table a disparu. Il hausse les épaules et consent à rentrer chez lui.

Le gérant lui barre le passage.

— Tu ne demandes pas l'addition, bonhomme ?

Le gérant est un rouquin taillé dans un rocher-cathédrale. Malgré le froid, il porte un tricot de matelot qui met en exergue la robustesse de ses pectoraux. Sur ses bras d'hercule sont tatoués des serpents furibonds, la gueule crachant du feu.

Guerd titube, les paupières molles, le geste évasif. D'une main dédaigneuse, il tente d'écarter le malabar.

— Fais pas chier, balbutie-t-il.

— Tu vas casquer, mon gars. Ici, c'est pas l'Armée du salut.

— Je ne paie que dalle. Je suis le lieutenant Guerd, de la Criminelle.

— J'n'en ai rien à cirer. Ici, même le président de la République casque.

Le lieutenant doit remuer ciel et terre pour extirper sa plaque de flic.

— On n'accepte pas ce genre de carte de crédit à la maison, lui dit le rouquin.

— C'n'est pas une carte de crédit, c'est mon insigne de policier.

— Et en plus, il est barjot, s'exclame le malabar en se tournant vers le barman...

— Je veux voir Farhat, dit Guerd, il me connaît.

— Farhat a été renvoyé. Le gérant, désormais, c'est moi, et je ne pratique pas le piston. Surtout pas avec les gradés. Je suis tellement allergique aux poulets que la vue d'un œuf me fait gerber. Tu as bu, tu paies. C'est réglo, non ? Je ne veux pas d'histoires.

— Si tu ne bouges pas ta grosse caisse de mon chemin, je mettrai dès demain ton zinc sous scellés.

— Demain reste encore à inventer, bonhomme. Pour le moment, tu portes ta main à la poche, tu dis merci et tu vas cuver ton vin ailleurs. Ne me force pas à te tirer les oreilles jusqu'à te faire rentrer le nez dans la figure.

— Qu'est-ce que tu as dit ?

— Tu es ivre, pas sourd.

Guerd est abasourdi par l'insolence du gérant. Des tics se déclenchent sur son visage blafard et ses poings se mettent à vibrer.

— Tu me tires les oreilles, toi ?

— Jusqu'à ce que ton tarin se confonde avec tes gencives, persiste et signe le rouquin.

— Je te signale que tu causes à un officier de police.

— Et moi, je te répète que c'est pas l'Armée du salut, ici.

Guerd est outré. Il n'arrive pas à croire qu'on lui manque de respect, que son insigne compte pour des prunes. Quelque chose explose en lui dans un tourbillon de chahut et d'ombres. D'un coup, les menaces de Nora lui reviennent en salves incendiaires, et une coulée de lave se répand à travers son être. Le silence inqualifiable qu'il avait observé au bureau tandis que la commissaire le démaillait fibre sensible par fibre sensible, le regard indigné de ses collègues et la roideur inacceptable du divisionnaire, la honte qui l'essorait comme une serpillière, toute l'indignation du monde le submerge. Dans un hypothétique sursaut d'orgueil, il pousse un cri déchirant et porte sa main à son holster. Il n'a pas le temps de s'emparer de son pistolet ; le poing du gérant s'abat comme la foudre sur sa figure...

13.

Les deux préposés à la réception du commissariat central sursautent lorsque le lieutenant Guerd traverse le hall et monte à toute vitesse l'escalier, un épais pansement au beau milieu de la figure.

— Tu penses que sa copine lui a claqué la porte au nez ? ironise le premier.

— Ce qui est certain, c'est qu'il n'a pas mis sa muselière au bon endroit, rétorque le second.

Le lieutenant regagne son bureau en rasant les murs, tête baissée pour ne pas avoir à subir le regard interloqué des flics qu'il croise dans les couloirs. Il est soulagé de ne pas trouver son assistant à son poste. Il accroche sa veste au portemanteau, s'empare du téléphone et appelle l'inspecteur Zine :

— Personne n'a signalé la disparition d'une jeune fille ?

— Le rapport est sur ton bureau.

Le lieutenant vérifie son courrier, tombe sur une chemise verte, l'ouvre. Un feuillet portant la griffe du 4e arrondissement informe que le 26 décembre, le nommé Lounes Sadek, résidant au bloc D, cité des Lauriers-Roses, déclare que sa fille, Nedjma Sadek, étudiante à l'université de Ben Aknoun, n'est pas rentrée chez elle depuis trois jours.

— Amène-toi fissa, grogne le lieutenant avant de raccrocher.

L'inspecteur Zine arrive, nonchalant. Son attitude irrite le lieutenant. D'habitude, ce dernier trouvait toujours une remarque désobligeante pour déstabiliser le subalterne, mais ce matin, sa gueule de bois le dissuade de commencer la journée avec des remontrances qui paraîtraient ridicules après la dérouillée que lui avait infligée la commissaire la veille.

Il improvise un sourire de circonstance.

— Bon boulot, inspecteur. On a enfin un bout de piste pour commencer l'enquête.

— Qu'est-ce que tu as au visage ?

— Bah ! fait Guerd en balayant l'air de la main. J'ai raté une marche dans la cage d'escalier. J'avoue que j'avais un peu trop bu... Je sors du dispensaire. J'ai une fracture au nez et le médecin m'a prescrit un arrêt de travail de deux semaines. C'est toi qui vas me remplacer aux côtés de la commissaire. Ça te changera du trou à rat où tu déprimes.

— Pas de problème.

Le lieutenant pousse du doigt la chemise verte vers l'inspecteur.

— Porte ça au patron, ainsi que le certificat médical que voici.

— C'est à toi de déposer l'arrêt de travail.

— Rends-moi service. Je n'ai pas envie de m'expliquer devant le divisionnaire. Il ne me croirait pas.

L'inspecteur ramasse le rapport du 4e arrondissement et le certificat médical.

— Tu sais ? Hier, c'est par respect pour le divisionnaire que j'ai laissé cette salope sortir son grand numéro. J'aurais pu lui clouer le bec d'une torgnole bien sonnante.

— Ça n'aurait pas été une bonne idée, chef, lui dit l'inspecteur pour la forme.

— Tu te rends compte ? Il suffit d'accorder un soupçon d'autorité à une poufiasse pour qu'elle se sente pousser des ailes. Ce bled va où, putain ? Elle a failli tourner de l'œil à la vue du cadavre hier à la clinique, et, une fois au bureau, elle se découvre une vaillance d'Amazone. Mais, fais-moi confiance, je rétablirai mon intégrité d'homme un jour ou l'autre. Je finirai par foutre cette salope à quatre pattes.

— C'est ça, maronne l'inspecteur en prenant congé.

À la cité des Lauriers-Roses, les promesses électorales crèvent d'ennui et le rêve tire le diable par la queue, le matin celle de derrière, le soir celle de devant pour ne pas perdre la main. Les architectes qui l'ont conçue n'avaient qu'une idée en tête : comment garder pour eux et pour les commis d'État quarante pour cent du budget alloué au projet. Ils ont dressé sur un champ qui sent encore la bouse de vache quatre barres d'une laideur absolue où même avec la mort aux trousses on n'aimerait pas se planquer. C'est un immense dortoir dépourvu de tout ; ni épicerie dans le coin, ni crèche, ni café. L'aire de jeux joliment dessinée sur les plans s'est transformée sur le terrain en un dépotoir vallonné de ferraille et de monceaux d'ordures que colonisent des chats hirsutes. La chaussée qui y conduit n'est plus qu'un mince ruban d'asphalte miné de nids-de-poule si profonds que n'importe quelle voiture avec cinq personnes à bord y laisserait un cardan. Quant aux arbres crucifiés sur le bas-côté, ils ne sont pas près de revoir pousser une feuille à leurs branches. Des gamins musardent çà et là, les genoux pelés, la bouille racornie – on dirait des petits malheurs naissants. Des *chibani* faisandent au soleil, entassés sur des tabourets ; ils regardent le temps qui passe et se demandent pourquoi il ne les emporte pas avec lui.

Le bloc D est un rempart de taudis superposés aux fenêtres grillagées. En cas d'incendie, il n'y aurait pas de survivants, mais on s'en fiche. On n'est jamais mieux à l'abri qu'enfermés à double tour derrière des barreaux et une porte blindée. C'est dire combien la confiance règne. Les gens transforment leurs appartements en cages à fauve et ils ne comprennent pas pourquoi on les traite comme des animaux. Mais bon... Le bloc D évoque une gigantesque toile surréaliste avec des pans entiers écaillés, des graffitis, des tags inextricables et des dizaines d'antennes paraboliques chevillées à même la façade. L'entrée n'a pas de porte – probablement démontée par les gamins ; le perron ne se souvient plus de ses marches. Deux bandes de mioches guerroient dans la cour en braillant plus fort qu'un stade en liesse. En Algérie, lorsqu'il n'y a pas école, il y a la rue et ses escarmouches ; aujourd'hui le sabre est en bois, demain le gladiateur aura l'embarras du choix ; il pourrait même s'équiper d'une ogive nucléaire.

Un homme en salopette est penché sur le moteur de son tacot ; il dégouline de sueur et de cambouis, les pieds dans des sandales mitées. La voiture de police s'arrête à sa hauteur. L'inspecteur Zine lui demande s'il connaît la famille Sadek ; l'homme grommelle « Troisième à gauche » sans se relever.

L'intérieur du bloc D n'a pas grand-chose à envier aux cavernes des troglodytes, peintures rupestres comprises. C'est un immeuble de douze étages, sans ascenseur. La cage d'escalier empeste le salpêtre et le mégot ; il y fait nuit en plein jour et personne ne songe à remplacer les ampoules grillées. Pas une boîte aux lettres n'a été épargnée. Le couvercle du compteur électrique a disparu, quant à celui du gaz, il n'en subsiste qu'une silhouette imprimée au mur.

On entend deux voisines s'engueuler là-haut.

La commissaire Nora et l'inspecteur Zine arrivent sur le palier du troisième. La porte de gauche rappelle celle des geôles médiévales.

La commissaire sonne.

Au bout d'une éternité, une femme se montre, encagoulée dans un voile intégral. Son visage s'assombrit lorsque Nora lui dit qu'elle est de la police.

— C'est bien la famille Sadek ?

— C'est à quel propos ?

— C'est au sujet de la déposition de M. Lounes Sadek, madame. On peut entrer ?

Un garçon rejoint la femme sur le pas de la porte.

— Que se passe-t-il, maman ?

— Va chercher ton père. Il est derrière le bloc B.

La femme ne laisse pas entrer les deux policiers, ne referme pas la porte non plus. Elle reste dans l'embrasure, les yeux remplis d'une ombre instable.

Le garçon revient, suivi par son père, un quinquagénaire famélique qui paraît avoir vingt ans de plus que son âge. On reconnaît derechef le petit fonctionnaire vieille école, pauvre mais digne, veillant sur sa tenue mieux qu'un soldat. Ses lunettes en écaille remontent au temps du socialisme scientifique à l'algérienne, aussi grotesques qu'une vitrine soviétique, mais le regard demeure franc comme un serment prolétaire. Rasé de frais, les cheveux peignés vers le haut, la moustache sans un poil qui dépasse, le costume usé mais propre et le pin's frappé aux couleurs nationales épinglé près du cœur, l'homme sent bon en dépit d'un parfum bas de gamme. D'un geste courtois, presque noble, il invite les deux policiers à le suivre dans un salon rangé avec soin malgré l'indigence du mobilier.

— Vous avez des nouvelles de ma fille ?

— Pas encore. On cherche. On vient à propos...

— Je sais pourquoi vous êtes là, dit le père avec agacement. Mon fils m'a expliqué en chemin. J'ai cru que vous l'aviez retrouvée.

— On ignore tout d'elle, monsieur Sadek, lui avoue Nora. On ne sait même pas s'il s'agit de votre fille.

— Nous vivons un cauchemar, mon épouse et moi. Chaque fois que quelqu'un frappe à la porte, on espère que c'est elle.

— Votre fille avait l'habitude de fuguer ?

— Elle rentrait tous les jours à l'heure. Je ne comprends pas. D'après son fiancé, elle se rendait à un casting. La télévision nationale prépare une sitcom pour le mois de ramadan. Ma fille a été retenue pour postuler à un rôle. Elle rêve de devenir actrice.

— Son fiancé est dans le cinéma ?

— Non. Enfin, ce n'est pas tout à fait son fiancé. Nous lui avons accordé sa main selon la tradition afin qu'ils puissent sortir ensemble. Pour éviter les qu'en-dira-t-on. Les gens n'ont rien d'autre à faire, alors ils surveillent le voisin.

L'inspecteur Zine griffonne des notes sur son calepin. Il dit :

— Il s'appelle comment, le fiancé ?

— Mourad Hérat.

— Vous avez ses coordonnées ?

— Il n'est pas d'Alger. Il vient des environs de Bouira et a trouvé du travail depuis quelques mois par ici.

— Et depuis ce casting, intervient Nora pour reprendre les choses en main, votre fille n'a plus donné signe de vie ?

— Je n'aime pas l'expression. Je dirais qu'elle n'a pas appelé. Son fiancé dit qu'elle était partie à Blida retrouver les autres candidates. Elle devait rentrer le jour même.

— Il fait quoi comme boulot, le fiancé ? dit l'inspecteur.

— Il travaille dans un restaurant huppé sur la côte.

— Il y en a plusieurs...

— Le Corsaire, je crois.

L'inspecteur acquiesce en notant le nom du restaurant sur son calepin.

— À ma connaissance, Le Corsaire n'est ouvert que le soir. Votre gendre aurait pu accompagner sa fiancée à Blida ? Ce n'est pas loin, Blida. Quarante kilomètres. Sur l'autoroute, on met moins de trente minutes.

— Son patron a refusé de lui accorder un congé.

— Elle a un mobile, votre fille ? demande Nora.

— Oui... mais il est toujours sur répondeur.

— Elle n'a pas laissé une adresse ou un numéro de téléphone fixe où la joindre en cas d'urgence.

— Je n'étais même pas au courant de cette histoire de sitcom. Je suis prof au lycée, j'ai l'esprit ouvert, mais je n'aurais pas laissé ma fille se rendre seule au casting. On ne sait jamais, dans ce genre de métier.

Nora se tourne vers la mère qui se tient dans un coin, le cœur à l'arrêt. Le garçon, lui, hésite entre s'asseoir sur le banc matelassé ou rester debout au milieu de la pièce. L'inspecteur Zine s'approche d'une vieille commode sur laquelle quatre photos encadrées sont alignées ; les deux du milieu immortalisent une petite fête familiale, celle de gauche montre le garçon sur un poney quelque part dans un zoo, celle de droite une jeune fille en costume constantinois.

— C'est elle, Nedjma ?

Nora manque de fléchir lorsqu'elle reconnaît la morte de la forêt Baïnem sur la photo de droite. Son expression n'échappe pas à la mère à l'affût du moindre signe d'alerte. Le père a compris que quelque chose se prépare à dévaster le monde autour de lui.

— Qu'est-ce qu'il y a ? s'écrie-t-il, la gorge contractée. Oui, c'est Nedjma... Que lui est-il arrivé ?

Nora cherche ses mots, n'en trouve aucun. Son souffle cafouille. Elle ne parvient ni à déglutir ni à affronter le regard paniqué du père. Que dire ? Comment le dire ? Jamais dans sa carrière elle n'a été confrontée à la plus insoutenable des situations : annoncer la nouvelle que personne ne souhaite entendre. Dans les films, quand deux militaires se présentent au domicile d'une épouse dont le mari est au front, Nora zappe aussitôt pour ne pas voir la veuve potentielle recevoir le ciel sur la tête. Aujourd'hui, Nora n'est pas face à la télé, aucune télécommande ne saurait la tirer d'affaire. C'est à elle, et à elle seule, qu'échoit le rôle de faiseur de la nuit.

Le père s'éveille soudain au malheur qui l'a choisi. Il commence par dévisager la commissaire, puis par agiter la tête, lentement d'abord, ensuite avec accélération :

— Non, halète-t-il, non, non... Sortez de chez moi. Allez-vous-en... On ne me la fait pas, à moi... Je ne sais même pas qui vous êtes. Je vous interdis d'avancer quoi que ce soit...

— Je suis désolée, monsieur Sadek.

La mère s'écroule.

Le garçon tombe à genoux, la tête dans les mains.

À l'évidence, ils s'attendaient tous au malheur depuis le premier jour de la disparition de leur fille, sauf qu'ils accordaient trop de marge au miracle.

— Ma fille est à Blida, dit le père d'une voix déchiquetée. Elle a décroché le rôle, c'est tout. Elle reviendra nous faire la surprise à la fin du tournage. Elle est comme ça, ma fille, elle aime nous surprendre. Je suis certain qu'elle ne va pas tarder à se manifester. Vous entendez ? Foutez-moi le camp, oiseaux de mauvais augure.

Il ne croit pas un traître mot de ce qu'il avance. Il refuse seulement d'admettre que ce qui l'empêchait de dormir vient de franchir le seuil de son appartement, qu'il est là, droit dans ses bottes, si vrai qu'il constitue à lui seul le ciel et la terre et qu'après lui il n'y aurait ni lendemains ni sursis.

— Je suis sincèrement désolée, monsieur Sadek. Il faut venir avec nous à la morgue pour identifier le corps.

Alors seulement, le père finit par l'admettre : on peut toujours dire non aux coups bas de la vie, la fatalité n'en fera qu'à sa tête.

Des larmes roulent sur ses joues, et il tombe comme un tronc mort dans les bras de l'inspecteur.

14.

Mme Joher Kacimi est une superbe créature maquillée avec talent et parfumée aux essences les plus nobles. À cinquante ans, elle fait encore tourner la tête des hommes dans la rue. En hautes sphères, on l'appelle Jo. Ses frasques font fantasmer jusqu'aux larbins. Mais Joher ne se donne qu'aux plus offrants. Chaque baiser est monnayé rubis sur l'ongle, au sens propre du terme.

Cela fait des semaines qu'elle sollicite un rendez-vous avec haj Hamerlaine. Ce dernier ne donnant pas suite à ses incessants appels téléphoniques ni aux messages qu'elle lui a laissés sur son répondeur, elle a décidé d'aller le voir chez lui.

Il est 8 heures du matin lorsqu'elle sonne à la porte du 62, allée des Promeneurs, sur les hauteurs de Hydra. Marouane, le portier, n'a pas le temps de lui demander ce qu'elle veut. Elle l'écarte et, en quelques enjambées, elle traverse le jardin et gravit le perron donnant sur la véranda.

Elle connaît le chemin, Joher.

Haj Hamerlaine est en train de griffonner des notes sur son agenda lorsque la porte de son bureau s'ouvre brutalement.

— Pourquoi ne réponds-tu pas à mes coups de fil ? s'écrie Joher, les mains sur les hanches.

Le vieillard pose son stylo sur le côté, enfourche ses lunettes et toise la dame campée dans l'embrasure. Marouane arrive, essoufflé et terrorisé, s'apprête à s'excuser pour le comportement de la femme qui s'est invitée sans s'annoncer ; le vieillard le congédie de la main, puis, la porte refermée, il se recule contre le dossier de son trône, croise les doigts sur son ventre, un vague sourire sur les lèvres.

— C'est la première fois qu'une personne ose débarquer chez moi à l'improviste, dit-il, une lueur malsaine dans les yeux.

— Tu n'as pas l'habitude de ne pas me rappeler. Que dois-je comprendre ? Que je ne vaux plus grand-chose ?

Le rboba rejette la tête en arrière dans un petit rire silencieux.

— Tu sais combien j'ai horreur qu'on me parle sur ce ton.

Joher ramène ses mains jointes sur son menton, subitement conciliante.

— Je souffre de ton silence, Saad.

— Je connais beaucoup d'imams dont les prières attendent toujours d'être exaucées. Ça ne les empêche pas de garder la foi.

Joher prend la mesure de son audace. Elle dégrafe le haut de sa veste et se laisse choir dans un fauteuil.

— Est-ce que je t'ai autorisée à t'asseoir ? lui fait-il de sa voix glaciale.

— Je t'en supplie, ménage-moi. Je n'ai pas dormi depuis des semaines et l'angoisse est en passe de m'anéantir.

— Ça ne te donne pas le droit de te croire exemptée de certains usages, ma jolie. Tu vas soulever ton gros cul et rester debout jusqu'à ce que je te dise *Couchée !*

Joher réprime un soupir et se remet debout. Haj Hamerlaine ne supporte pas la familiarité, surtout pas de la part des femmes, qu'il traite avec une discourtoisie à la limite du dédain. Mais elle sait que, dans le monde des tsars de la République où elle a échoué presque adolescente, il n'y a de place ni pour l'amour-propre ni pour l'amour tout court et que, pour gravir les échelons, on est obligés de toucher le fond avant d'être autorisés à remonter.

— Qu'est-ce qui t'amène, ma cocotte ? Et ne tourne pas autour du pot. C'est déjà une immense faveur de t'accorder cinq minutes de mon temps. La prochaine fois, tu n'auras pas l'occasion de réaliser ce qu'il t'arrive.

Le ton est ferme et tranchant comme un rasoir.

Joher acquiesce de la tête.

— Mon mari n'a aucune chance aux prochaines élections sénatoriales, dit-elle.

— En quoi est-ce mon problème ?

— Tu peux le mettre sur la liste du tiers présidentiel.

— Je ne m'entends pas avec le Président.

— Les *autres* te vénèrent... Il t'appartient de nous sortir des ténèbres dans lesquelles nous ont jetés nos courtisans d'hier. Ils nous mangeaient dans la main, ces fumiers. Nous les avions élevés au rang de nababs, mon mari et moi. Aujourd'hui, ils nous snobent et torpillent nos projets.

— Ton mari est un mauvais cheval doublé d'une tête de mule. À ta place, je le foutrais à la poubelle et souderais le couvercle dessus.

— Après vingt ans de mariage ? Il est la seule planche de salut qui me reste, Saad. Je t'en conjure, aide-le à devenir sénateur.

— Il n'en vaut pas la peine, ma chérie. C'est un illettré obtus et malhabile, il merdouille tout le temps et se prend à ses propres pièges sans que personne le force. Je l'ai fait consul général en France, on me l'a renvoyé au bout de six mois avec un dossier digne d'un voyou multirécidiviste. Pour toi, je l'ai casé dans une ambassade en Asie, puis nommé chef de poste dans trois pays africains, pas une fois il n'est arrivé au bout de son mandat. Ton jules est une poisse. On le mettrait dans de l'eau bénite qu'il la transformerait en pipi de chat...

Joher crispe les poings dans une prière. Ses yeux brillent de désespoir et ses pommettes tressautent de nervosité. Elle sait que Saad Hamerlaine est son dernier recours, que s'il ne bouge pas le petit doigt, elle ne trouvera nulle part un soupçon de compassion.

— Puis-je m'asseoir ?

— Non.

— Pour l'amour du ciel. Je sens que je vais m'effondrer.

— Tu restes debout.

Joher n'insiste pas.

Elle respire profondément pour se donner du cran et dit d'une voix mourante :

— Tu ne me refusais rien, autrefois.

Le vieillard médite les propos de la dame, le regard brusquement chargé de nostalgie. Il hoche la tête d'un air chagrin. Après un long silence, il remue sur sa chaise et déclame sur un ton théâtral :

— Autrefois, tu avais les fesses fermes, tes seins disparaissaient dans le creux de mes mains. Lorsque je te prenais par-derrière, tu te tordais de douleur et j'adorais entendre tes ongles crisser sur les draps. En glissant mes doigts sur les jolies vertèbres qui enguirlandaient la blancheur éclatante de ta peau, je survolais la cordillère des Andes. En tirant sur tes cheveux, j'exultais comme un jeune centurion sur son char d'assaut. C'était le temps des conquêtes et des orgies fracassantes où mes vœux s'exauçaient d'eux-mêmes et où les montagnes s'aplatissaient devant moi tels des tapis roulants. Aujourd'hui, je tiens le monde dans mon poing et aucune étoile ne me surplombe, mais quand je possède une femme, elle ne gémit guère, et moi, je cesse d'exister.

— Que racontes-tu ? Tu es encore aussi ardent qu'un bûcher.

— Je crains que les cendres n'aient étouffé ma flamme.

— Arrête ! Tu dis ça pour que je te prouve le contraire.

— Je n'ai rien à prouver.

— Et moi, tu trouves que j'ai beaucoup changé ?

— Tu es encore une très belle tranche de chair, sauf que mon glaive s'est passablement émoussé.

Joher croit pouvoir s'emparer de la perche providentielle. Elle se met à genoux et psalmodie presque :

— Je peux y remédier. J'ai sans doute pris quelques rides, mais je n'ai pas perdu la main.

Il la somme de rester où elle est.

Joher déglutit en priant pour que le maître de céans ne sonne pas ses domestiques pour qu'on la jette dehors.

— Ce n'est pas nécessaire, lui dit le vieillard. Avec l'âge, j'ai pris du ventre au détriment du pédoncule. Mais j'ai gardé l'esprit alerte et l'œil grand ouvert. Puisque tu t'es donné la peine de venir jusqu'ici, mignonne, et pour ne pas rentrer bredouille, mets-toi à poil et fais-toi plaisir avec ça, ajoute-t-il en montrant un gros cigare cubain dans un coffret.

Salaud ! peste la dame en son for intérieur tandis qu'une colère noire jaillit en elle tel un geyser. Son beau visage se froisse d'un coup et ses magnifiques yeux se remplissent de larmes.

Sa voix chevrote lorsqu'elle proteste :

— Je ne suis pas une putain.

— Tu vas me fendre le cœur, ma jolie. La fierté et la carrière ne font pas toujours bon ménage. Tu es bien placée pour l'admettre. Tu es venue négocier un statut pour ton cocu d'époux. C'est lui qui t'envoie, n'est-ce pas ? Il connaît le tarif de la consultation. Et toi aussi. Alors, épargne-moi ton accès d'indignation et rassure-moi sur le fait que je ne suis pas le seul à avoir pris un coup de vieux.

Joher se mouche dans un petit bout de soie. Les larmes maintenant lui raturent la figure de traînées de rimmel. Après un long martyre silencieux, elle relève la tête et plonge son regard haineux dans celui du vieillard.

— Tu pourrais te montrer moins cruel.

Hamerlaine se renverse de nouveau contre le dossier de son siège, savoure le dépit distordant le visage de la femme, toussote dans son poing et revient s'accouder contre son bureau. Il dit :

— Vers la fin du XVIIIe siècle, un certain Surcouf, intrépide corsaire de Saint-Malo, s'est attaqué à un vaisseau britannique pour le déposséder de sa cargaison. L'abordage fut d'une extrême violence. En désespoir de cause, et pour faire bonne figure au milieu de sa déroute, le capitaine britannique s'est adressé à son agresseur en ces termes : « Vous vous battez pour l'argent, et nous nous battons pour l'honneur ! » Et Surcouf lui a rétorqué : « Chacun se bat pour ce qu'il n'a pas. »

Joher acquiesce, elle aussi en désespoir de cause. D'un geste enfiellé, elle commence par déboutonner sa veste, puis, au fur et à mesure qu'elle se déshabille, ses mains gagnent en férocité et elle se met à arracher ses vêtements comme si elle s'arrachait la peau.

15.

— Tu parles d'une baraque ! s'exclame l'inspecteur Zine.

Le pavillon 32 est un joyau architectural. Articulé sur une colline, il domine la mer, quadrillé de palmiers hiératiques. La façade en marbre d'Italie s'étend sur une centaine de mètres, surmontée de caméras rotatives. L'imposante grille en fer forgé donne sur une partie de la piscine. La pelouse est tondue si ras qu'on la croirait damée. Sur la gauche, un escalier en pierre mène à une plage privée. À droite, la villa, belle comme un rêve, ferait saliver n'importe quelle star de Hollywood.

Nora descend de la voiture pour admirer le paysage. La forêt alentour paraît dessinée par un peintre militaire, les sentiers bien droits et les buissons carrés. Le voisin le plus proche se trouve à des lieues, tapi derrière un bosquet pour se préserver du mauvais œil. Ici viennent se terrer les grosses fortunes de la nation, conformément au proverbe qui stipule que les meilleures joies sont celles que l'on consume en secret. On s'imaginerait au paradis si, par endroits, on ne décelait un bout de toiture ou une allée recouverte de cailloutis au beau milieu de la végétation. Il n'y a qu'une seule route qui longe la côte ; elle est déserte, probablement interdite aux curieux et aux envieux.

L'inspecteur Zine rejoint Nora. Tous les deux se laissent aller à des fantasmes assassins, certains que jamais ils ne pourraient s'offrir une place au soleil comme celle où ils viennent de s'échouer dans le cadre de leur enquête.

Ils sonnent à la porte.

— Oui ? crachote une voix dans un Interphone camouflé.

— Police, se présente Nora.

— Vous êtes sûr de ne pas vous tromper d'adresse ?

— On n'est jamais sûr de rien.

Silence. Puis :

— Je vous envoie le gardien.

— Merci, c'est gentil, dit Zine, sarcastique.

Un vieil homme décharné arrive, un molosse surexcité au bout d'une laisse. Il cligne des yeux à cause de la lumière crue, s'approche avec méfiance, étonné que l'on vienne déranger la quiétude du sanctuaire à une heure aussi matinale. De toute évidence, il n'a pas l'habitude de voir des inconnus traîner leurs guêtres dans les parages.

— Bonjour, lui dit Nora.

— Bonjour, madame. Qu'est-ce que vous voulez ?

— Nous sommes de la police. Nous souhaitons nous entretenir avec M. Hamerlaine.

— Le ministre est au courant ? claque une voix sur le côté.

Une sorte d'androïde surgit derrière le gardien, large comme un panneau publicitaire, le crâne tondu orné d'une queue-de-cheval et la mâchoire de concasseur prête à mordre. Son regard vorace semble dévorer le reste de son visage. Il avance d'un pas martial, si à l'étroit dans son costume que ses boutons de chemise sont sur le point d'éclater. Du pouce par-dessus l'épaule, il ordonne au vieux gardien de retourner dans son box situé à deux mètres de la grille.

— C'est à quel sujet ? grogne-t-il.

— Est-ce qu'on peut entrer ?

— C'est pas un moulin, ici.

— Je suis la commissaire Nora, du Central.

— J'n'en ai rien à cirer. Vous n'avez pas le droit d'être là. Vous feriez mieux de déguerpir.

— Vous êtes qui ?

— Ça ne vous regarde pas. Vous êtes sur une propriété privée et on n'accepte ni mandat ni visa d'entrée. Allez, du vent.

— Surveillez votre langage, lui intime Zine.

— C'est à vous de surveiller votre boussole, parce qu'elle déconne. C'est la résidence de M. Hamerlaine. Ici, on ne reçoit pas, on convoque.

— Nous menons une enquête...

— Vous avez quoi, dans le caisson ? s'emporte le malabar. Vous ne comprenez pas l'arabe ? Je vous dis de vous tailler, sinon j'appelle le préfet.

— Qu'est-ce qui se passe ? intervient un jeune homme fringant jailli d'on ne sait où.

Le malabar lui explique la situation. Le jeune homme hoche la tête, lui tape sur l'épaule :

— Ça va, mon gars, je m'en occupe.

Le malabar jette un regard noir sur les deux policiers avant de se retirer.

Le jeune homme essuie ses lunettes fumées dans un carré de peau de chamois, les ajuste sur sa bouille de jeune premier et commence par étaler un sourire bienveillant. Il est beau gosse, frêle et élégant, blond comme une flamme que tempère l'azur de ses yeux.

— Excusez-le, il n'est pas bien, ces derniers temps.

— Vous devriez l'attacher, lui suggère Zine.

— Une amarre de paquebot ne le retiendrait pas, dit le jeune homme en tendant la main à travers la grille. Je m'appelle Réyan Baz, je suis le responsable de la résidence. Que puis-je pour vous ?

— Nous cherchons à rencontrer M. Hamerlaine.

— Votre hiérarchie est au courant ?

— Pourquoi nous pose-t-on toujours la même question ? fait Zine.

— C'est la procédure, dit le jeune homme. M. Hamerlaine est l'un des pères fondateurs de la nation. La moindre des corrections est de transiter par votre ministère avant de vous présenter. D'habitude, ce sont les ministres qui viennent en personne. Envoyer des subordonnés est un manquement grave au protocole.

— De quoi il parle ? demande Zine à la commissaire.

— De toute façon, poursuit le jeune homme, M. Hamerlaine est chez lui, à Hydra. Ici, c'est l'une de ses résidences secondaires. Si vous voulez un conseil, informez votre hiérarchie de votre démarche. Sous couvert, on amortit les tuiles.

Il leur adresse un petit salut désinvolte et s'éclipse.

Les deux policiers remontent dans leur voiture. Zine croit avoir halluciné. Il allume une cigarette d'une main fiévreuse, évacue la fumée par les narines.

— Être traités comme ça par un gorille échappé du zoo !

— Ouais, soupire la commissaire. Il y a des gens au-dessus des lois. Ils vivent dans l'impunité totale et ils en sont conscients, ce qui renforce leur insolence.

— On est dans quel pays ?
— On est chez nous, et on n'est pas sortis de l'auberge.
— Qu'est-ce qu'on fait ?
— On va à Hydra.
— On ne demande pas d'autorisation, *d'abord* ?
— Plutôt crever, lance Nora. Démarre !

Marouane est embarrassé. C'est la première fois que la police vient sonner à la porte du 62, allée des Promeneurs, sur les hauteurs de Hydra. Il se demande s'il doit renvoyer de son propre chef la commissaire et son compagnon ou bien en référer au maître de céans. Afin de ne pas prendre de risque, il opte pour la seconde solution. Il prie les deux officiers d'attendre sur le trottoir et va consulter son employeur. Il revient au bout de quelques minutes :

— Suivez-moi, s'il vous plaît.

Le domestique conduit les deux représentants de la loi à travers un jardin luxuriant et les confie à un autre larbin. Ce dernier, un Noir efflanqué, vérifie que les deux policiers ne sont pas armés avant de les guider jusqu'à une cour ensoleillée. Haj Hamerlaine est là, se balançant dans un rocking-chair, à l'abri d'un parasol. Il sirote tranquillement un haut verre de citronnade.

— Si j'ai accepté de vous recevoir, c'est juste pour voir de quoi a l'air une femme dans son costume de commissaire.

— Nous travaillons en tenue civile, monsieur.

Le vieillard pose son verre sur une table sculptée et dit :

— Mettez-vous en face de moi. Mon torticolis m'empêche de tourner la tête.

Nora s'exécute.

Il la dévisage en silence, un sourire fantomatique sur les lèvres.

— Magnifique... fait-il. Savez-vous que c'est moi qui ai insisté pour intégrer la gent féminine dans la police et dans l'armée ?

— Je l'ignorais, monsieur.

— C'était dans les années 1970. Il fallait voir la tête du Bureau politique. Ils croyaient que je délirais. Des femmes dans les rangs ? Personne n'y croyait. Je suis très content de constater que mon idée a fait du chemin. Vous vous plaisez dans le métier ?

— Je ne me plains pas, monsieur.

— Savez-vous que c'est moi qui ai remis ses galons d'officier à la toute première pilote de chasse de notre aviation militaire ?

— Je l'ignorais aussi, monsieur.

— Eh oui. La première pilote de chasse de notre armée nationale et populaire a eu l'insigne honneur de recevoir ses galons d'officier de mes mains. Je garde encore l'image de son visage radieux. C'était une superbe brunette avec des fossettes dans les joues et un petit air espiègle. Elle a claqué des talons si fort que la dalle s'est fissurée. Ah ! la belle époque, ajoute-t-il d'une voix frémissante. On ne lésinait sur aucun moyen pour que les enfants d'Algérie accèdent aux rêves les plus fous. Ça n'a pas toujours été le cas, mais on continue d'y croire. Quand je pense que, grâce à moi, nous comptons une femme générale, j'ai presque envie de verser une larme. Même la France n'a pas de femme aussi haut gradée.

— Oui, monsieur.

Le vieillard avale son sourire et sa figure de momie se referme. Pas une fois il n'a accordé d'attention à l'inspecteur.

— Vous vouliez me voir, commissaire ?

— Affirmatif, monsieur.

— Je vous écoute.

L'inspecteur Zine s'apprête à ouvrir une enveloppe cartonnée. Le rboba le freine net de la main, toujours sans le regarder.

— Oui, commissaire ?

Nora se racle la gorge.

— Je crains d'avoir une horrible nouvelle à vous annoncer, monsieur.

— La seule nouvelle qui risquerait de m'affecter est celle de mon décès.

Nora rentre le cou d'un cran. Elle suffoque.

— Votre fille...

— Je n'ai pas de fille, commissaire.

Nora a le sentiment de partir en mille morceaux. Sa respiration s'emballe et ses genoux ont du mal à la porter. Elle ne comprend pas ce qu'il lui arrive. Est-ce le regard vitreux du vieillard qui la déstabilise ou bien la sécheresse de son ton ?

— Mme Lounes Sadek avance que vous êtes son père.

— Je ne connais aucun Sadek.

— Son nom de jeune fille est Hamerlaine, Louisa Hamerlaine.

— J'ai épousé une cousine vers la fin des années 1950. Un mariage forcé. Mais je l'ai répudiée au lendemain de l'Indépendance, exactement le 10 juillet 1962. Pour savourer pleinement ma liberté. J'ignore si elle était enceinte et je m'en contrefiche. Je n'ai jamais cherché à savoir ce qu'elle est devenue. Erreur de jeunesse, affaire classée. J'ai une nouvelle égérie, et c'est l'Algérie. C'est pourquoi je ne me suis plus marié.

— Mme Sadek est née Louisa Hamerlaine, à Sour el-Ghozlane, le 14 février 1963, fille de Saad et de Milouda Bent Souheil...

— Ça suffit ! rugit le vieillard. Où veut-elle en venir ? Je ne suis pas encore mort pour qu'elle fantasme sur un quelconque héritage. De toute façon, je ne la reconnaîtrai pas. Elle n'existe pas pour moi.

— Il ne s'agit pas d'héritage, monsieur, glisse Zine pour venir à la rescousse de la commissaire. Nedjma Sadek, fille de Louisa Hamerlaine, est morte...

— Et alors ? On meurt tous les jours, non ?

— Il est question de votre petite-fille...

— Et moi, je vous dis que je n'ai ni fille ni petite-fille. C'est quoi, vos matricules ? Je vais tirer les oreilles à votre chef pour qu'il vous apprenne les bonnes manières. D'ailleurs, il va regretter de ne pas vous avoir mis de laisse. On ne vient pas emmerder Saad Hamerlaine chez lui.

Zine n'est pas impressionné. Il pousse l'audace jusqu'à soutenir le regard vénéneux du vieillard.

— Nous ne faisons que notre boulot, monsieur. Il est inutile de nous crier dessus.

— Quoi ? s'enflamme le vieillard. Vous savez à qui vous vous adressez ?

— Nous sommes des policiers, monsieur, et nous sommes ici dans le cadre de nos fonctions. Nous avons un cadavre sur les bras, une jeune fille splendide trouvée sans vie dans les bois de Baïnem.

Emporté par ses propos, l'inspecteur fait claquer la photo de la défunte sur la table du rboba... Et d'un coup, comme par enchantement, comme si un nuage venait d'avaler le soleil d'Alger et de plonger la ville dans un gouffre, le visage du vieillard se désintègre. On dirait qu'une main invisible l'a pressé comme une vieille relique pourrie pour n'en laisser qu'un halo de poussière. Nul n'aurait cru une seconde que ce faiseur de pluie et de beau temps, que haj Saad Hamerlaine par son nom sanctifié, au droit de regard sur les morts et les vivants, serait capable d'un moment de faiblesse. Car, à la seule vue de la photo, un séisme l'a ébranlé de la tête aux pieds, et ses yeux ont failli gicler hors de leurs orbites.

Nora se fige ; le vieillard semble céder à un infarctus. La bouche ouverte en quête d'une bouffée d'air, la figure blême et l'œil à moitié révulsé, Hamerlaine s'agrippe à la nappe sur la table en tremblant de tout son corps ; le verre de citronnade se fracasse au sol dans un bruit assourdissant. Deux domestiques accourent, épouvantés, entourent leur patron, l'empêchent de s'écrouler tandis que les deux policiers ne savent où donner de la tête...

Le big bang ne dure que quelques instants. Le rboba récupère vite. Il émerge de son malaise, les prunelles rallumées, les poings de nouveau souverains. Son visage recouvre son masque totémique et dans sa tête, à la vitesse d'une météorite, l'ensemble de ses pensées réintègre son dispositif.

Le dieu du bled est revenu à lui, et toutes les choses sont rentrées dans l'ordre.

Il dit :

— J'ai cru reconnaître ma mère sur cette photo. C'est son portrait craché.

Puis il ordonne aux deux domestiques de raccompagner les policiers.

16.

L'inspecteur Zine a sifflé le contenu de sa Thermos. Il fixe d'un œil morne la tasse sur son bureau et attend. Vers 17 heures, le personnel commence à ranger sa paperasse. Les bruits de pas deviennent de moins en moins fréquents dans les corridors. Un agent montre sa tête dans l'entrebâillement de la porte. « À demain, chef. » Zine ne l'entend pas. Il cherche une cigarette, le paquet est vide. Le soleil commence à décliner et l'obscurité à s'accentuer dans le cagibi. Zine n'a pas la force d'allumer. Cloué sur sa chaise, le menton sur les poings, il attend, le téléphone à portée de la main. Une sonnerie, et il sera bon pour la casserole. Haj Hamerlaine ne passera pas l'éponge sur sa conduite. Il a limogé les deux anciens chefs de sûreté pour des futilités. La rancune tenace, la susceptibilité à fleur de peau, il n'a jamais pardonné la moindre peccadille.

La femme de ménage découvre l'inspecteur livide d'inquiétude. Elle ramasse son balai, sa serpillière, son bidon et bat en retraite.

Le téléphone ne sonne toujours pas.

Lorsque le silence s'installe à tous les étages du commissariat central, Zine se lève, décroche son veston et sort dans le hall. À la permanence, on l'informe que Nora a été raccompagnée chez elle par le divisionnaire en personne. Son cœur se crispe. Pourquoi ? se demande-t-il en rejoignant sa vieille Peugeot sur le parking. Ne pouvant digérer son angoisse, il appelle la commissaire sur son portable :

— Il te voulait quoi, le divisionnaire ?

— Je lui ai fait mon rapport.

— Il l'a pris comment ?

— Comment veux-tu qu'il le prenne ?

— Hamerlaine ne lui a pas téléphoné ?

— Il n'a aucune raison de lui téléphoner.

— Sûr ?

— Détends-toi. On a du pain sur la planche, demain.

Zine se sent un peu mieux. Il passe d'abord voir Mounir dans sa boutique de lingerie, à l'extrémité de l'avenue Mohammed-V. Occupé à conseiller une cliente, Mounir lui désigne du menton une armoire naine derrière une tenture. Zine trouve dans un minuscule tiroir un petit sachet en papier, l'empoche subrepticement et regagne sa guimbarde. La nuit est tombée lorsqu'il arrive chez lui. Il se déshabille, prend une douche brûlante, enfile son survêtement frappé aux couleurs du Mouloudia d'Alger et va s'installer face à la télé. Il ne s'intéresse qu'à trois chaînes : Arte pour s'instruire, National Geographic et Thalassa pour décompresser, fuyant les films, les débats politiques et les affligeantes émissions de divertissement.

Bien enfoncé dans son fauteuil, il défait le petit sachet récupéré chez Mounir. C'est du cannabis. Il se roule un joint et se prépare à décoller.

À 8 heures pile, sa voisine de palier lui apporte à manger. Elle est veuve et mère de deux garçons. Ils ont fait un deal. L'inspecteur achète la nourriture ; la voisine cuisine pour lui, pour elle et pour ses enfants. Cela fait dix ans que ça dure. Avant, ils se racontaient leurs journées, prenaient du thé ensemble. Ces derniers temps, leurs rapports se sont refroidis. La voisine arrive avec son plateau, le pose sur la table et se retire sans un regard... Un soir, elle était venue chez lui maquillée, parfumée, les cheveux sur les épaules. « Mes garçons sont à Boumerdès », avait-elle dit en laissant tomber sa robe. Zine avait hésité. Il craignait que ça ne marche pas. Comme d'habitude. Mais la voisine était belle, et son corps magnifique. Zine s'était dit pourquoi ne pas *réessayer*. Il avait réessayé, espéré, prié, récité tous les versets qu'il connaissait, baisé les seins, le cou, la bouche, caressé les hanches, les cuisses ; rien n'avait remué en lui. Le bout de chair ramollie qui pendouillait misérablement à son ventre refusait de réagir. Pour sauver la face, Zine avait grommelé : « Je crains que ça ne soit pas une bonne idée. » La voisine n'avait pas insisté. Elle s'était rhabillée et était partie sans un mot. Depuis, ils ne se parlaient plus. Cette nuit-là, Zine avait cogné la glace dans les lavabos et regardé sa main saigner jusqu'au matin.

Zine a un grave handicap : il est impuissant. Une défaillance sexuelle contractée sur le tard. Il y a une quinzaine d'années, alors qu'il se dirigeait sur Tissemsilt, dans l'Ouarsenis, pour rendre visite à sa mère souffrante, l'autocar qui le transportait était tombé sur un faux barrage. Des terroristes en costume afghan avaient fait descendre les passagers, leur avaient ligoté les poignets avec du fil de fer et les avaient forcés à s'agenouiller dans le fossé. Ils en avaient égorgé une bonne moitié lorsque les unités spéciales de la gendarmerie étaient intervenues. Zine ne se souvient pas de l'accrochage, il se rappelle seulement les corps de ses compagnons de route désarticulés sur le bas-côté, et les mares de sang en train de se ramifier sur l'herbe. Les gendarmes n'avaient pas réussi à le relever ; ses genoux s'étaient bloqués et il avait déféqué sur lui. Ce fut ce jour-là qu'il perdit sa « virilité » pour ne s'en apercevoir que quelques mois plus tard, à l'hôpital psychiatrique où son choc émotionnel l'avait expédié. Il avait vingt-cinq ans. Il pensait que les choses allaient s'arranger une fois le traumatisme surmonté, il n'en fut rien. Trop honteux pour se confier aux médecins ou aux proches, il s'était reporté sur les élixirs, les recettes aphrodisiaques et le Viagra ; l'appendice avachi au bout de son bas-ventre demeurait insensible. Au début, il avait pensé au suicide, puis, petit à petit, il avait appris à composer avec. Pour se faire une raison, il songeait aux passagers décapités sous ses yeux, là-bas sur la route de Tissemsilt, à ses collègues massacrés dans des embuscades, aux familles décimées au détour des hameaux, aux corps mutilés qu'il avait lui-même ramassés lors des ratissages, aux veuves et aux orphelins, aux spectres errants dans les asiles de fous – de toutes ces victimes du terrorisme, il reconnaissait être la moins à plaindre.

Après le souper, Zine enfourne un CD dans le lecteur posé sur la table de chevet. Toujours le même. Une partition du virtuose Mohamed Rouane. C'est son stimulant à lui. Pendant que sa tête se remplit de douces symphonies, il se laisse aller au gré des vieux souvenirs. Il aime retourner ainsi dans son village niché au pied de l'Ouarsenis où enfant il adorait gambader dans les vergers. Sa mère le surveillait de loin. Lorsqu'il s'éloignait, elle lui criait de rebrousser chemin, et il revenait sur ses pas. Il avait toujours rêvé d'aller de l'autre côté de la montagne voir ce qu'elle lui cachait. C'était sans doute pour cette raison qu'il s'était engagé dans la police : pour voir du pays.

Que cette époque est loin désormais.

Zine ne reçoit personne. Il n'a qu'un seul ami, un certain Sid-Ahmed, ancien journaliste à la radio, qu'il a connu à l'hôpital psychiatrique. Ils partageaient la même chambre et le même traitement. Les jours de congé, l'inspecteur saute dans sa Peugeot et file le rejoindre du côté de Fouka-Marine. Sid-Ahmed habite un taudis négligé qui, à sa décharge, est situé au bord de l'eau. Les deux amis passent leur journée sur des chaises en toile avachies à contempler la mer en fumant des pétards. Ils pourraient rester côte à côte jusqu'à la tombée de la nuit sans échanger un traître mot. Ils sont ensemble, et cela leur suffit.

De temps à autre, son frère aîné, un paysan pur et dur, le turban bien ajusté et le gilet lustré, vient aux nouvelles. Il ne reste pas longtemps à Alger. Trop de bruit et trop de saleté. Et trop de filles dévergondées. Mais derrière ses airs de plouc endimanché, le grand frère garde l'esprit alerte. Il a été à l'université et s'intéresse aussi bien à la politique qu'à l'agriculture. Avant de débarquer, il téléphone d'abord. Et il ne vient jamais les mains vides. Son panier en osier déborde de galettes maison, de pots de miel nature et de fruits de saison. En réalité, il vient surtout relancer le vieux débat : la mère ne veut pas mourir avant de voir son rejeton marié. Zine promet d'y réfléchir. Son frère lui rappelle qu'il lui tient le même langage depuis des années, que la vieille n'en peut plus de patienter. Zine trouve toujours une esquive avant de raccompagner son frère à la gare routière.

Il est 1 heure du matin. L'inspecteur n'arrive pas à fermer l'œil ; la virtuosité de Mohamed Rouane ne parvient pas à bercer son âme. Il n'est pas bien, Zine. Il a peur d'éteindre. Le fantôme de Saad Hamerlaine occupe chaque coin de la chambre, tout l'appartement, tout l'immeuble.

1 heure du matin.

Au troisième étage d'une HLM à Bab el-Oued.

Sonia est à genoux dans les toilettes, la tête dans le bidet ; elle dégueule à rendre ses tripes. Ses râles l'ont épuisée. Elle a mal. Ses épaules tressautent de spasmes. Lorsqu'elle finit de vomir, elle met longtemps à réguler son souffle. D'une main tâtonnante, elle actionne la chasse d'eau, s'agrippe au lavabo et se hisse en gémissant. La glace lui renvoie son reflet dans un piteux état. Ses cheveux embroussaillés partent dans tous les sens et son visage hachuré de rimmel ressemble à un masque de sorcier.

— Je me demande s'il ne serait pas sage de t'enchaîner, lui dit Nora, les bras croisés sur la poitrine.

— Chiche, la défie Sonia.

— Chasse le naturel, et il revient au galop.

Sonia plonge la tête sous le jet du robinet.

— Il te faut plus que ça pour t'éveiller à toi-même, petite conne, lui fait observer Nora.

— Je t'emmerde.

— Moi, je te plains. J'ignore à quoi tu joues, mais tu n'as aucune chance de gagner. Regarde-toi. On dirait un macchabée ambulant.

— Je fais de ma vie ce que je veux, rétorque Sonia en s'emparant d'une serviette.

— Tu n'as plus de vie à toi, pauvre idiote. Tu n'es qu'un torchon avec lequel on s'essuie. Je crains fort d'être obligée de t'enfermer dans un centre de désintoxication.

— Et qui te lécherait la chatte, hein ?

Le bras de la commissaire se décomprime. Sonia reçoit la gifle en travers de la figure. Elle chancelle, mais ne tombe pas.

— Tu vois ? fait-elle, la main sur la joue meurtrie. Tu n'es qu'une brute comme les autres.

Nora préfère laisser tomber.

À la même heure, au cœur d'un splendide loft au sommet d'une tour dans le quartier chic d'El-Hamma, cinq gros bonnets fêtent l'un des leurs blanchi par le tribunal après des mois de recours et d'appels. Il y a Ali Bey affectueusement surnommé Ali Baba le Voleur, directeur d'une importante banque ; le sénateur Slim Touta, milliardaire et analphabète qui ne connaît de la politique que les banquets et les voyages à l'étranger aux frais de la République ; Ben Dahmane, énorme comme un sacrilège, porte-parole du PDD (ce qui ne l'oblige guère à tenir la sienne) ; Tajedine Lyès, ancien diplomate *réinvesti* dans l'import-export ; et Ed Dayem. Ces messieurs n'ont pas convié de femmes, comme chaque fois qu'ils se rencontrent pour se bourrer la gueule entre alliés. Ils sont ivres, répandus sur des canapés autour d'une grande table surchargée de bouteilles d'alcool, d'amuse-gueules et de friandises. Seul Ed se tient un peu à l'écart, assis sur l'accoudoir d'un fauteuil, face à la mer qu'il contemple à travers la baie vitrée.

— C'est une belle promotion, Ben, admets-le, dit Tajedine au porte-parole du PDD. Et puis c'est une belle ville, Le Caire.

— On ne me la fait pas, à moi, feule le politicard. On veut m'éloigner du pays. Le PDD me revient de droit. Ils le savent et cherchent à me disqualifier en douce. Tu me vois membre de la Ligue arabe, moi ? Je n'ai rien à fiche dans ces joutes oratoires pour singes hurleurs. C'est quoi, la Ligue arabe ? Une voie de garage pour rentiers. On ne sait même pas à quoi elle sert, à part à se chamailler et à se poignarder dans le dos.

Ben Dahmane ambitionne de chapeauter le PDD. Très jeune, il avait compris que dans un pays où l'on est fier de corrompre et d'être corrompu, le filou averti se doit de mettre les bouchées doubles. Dahmane n'est pas né Béni Kelboun[1], il l'est devenu. Brillant opportuniste chez les scouts musulmans, il s'est dépêché de s'inscrire dans une section du Parti unique, qui s'illustrait déjà par la prévarication outrancière et le trafic d'influence, les manitous de son pays se plaisant dans l'opprobre comme un ver dans le fruit. Pour un apprenti magouilleur aux appétits tentaculaires, Ben Dahmane ne pouvait espérer meilleure école. Plus tard, avec l'avènement du pluralisme, il a lancé, grâce à un bailleur

1. Dans la mythologie araberbère, Béni Kelboun désignait les tribus cannibales qui s'attaquaient aux pèlerins et aux missionnaires itinérants avant l'ère du transport en commun. Aujourd'hui, on appelle Béni Kelboun les opportunistes sans scrupules qui ont institué l'encanaillement en dogme.

de fonds émirati, une fondation salafiste qui sera dissoute à la suite de son implication avérée dans le terrorisme jihadiste entre 1993 et 1997. En 2004, bénéficiant de l'amnistie accordée aux repentis dans le cadre de la Réconciliation nationale, Dahmane a rejoint le parti d'opposition, le PDD, fraîchement sorti d'un chapeau de prestidigitateur, et n'a pas tardé à gravir les échelons grâce notamment à Ed Dayem qui avait mis à sa disposition son arsenal médiatique.

— Arrête de geindre, Ben, lui lance le banquier. On ne chie pas dans le hamac, putain ! Tu seras payé en devises et tu pourras t'offrir toutes les danseuses du ventre du Nil.

— Je n'ai pas sacrifié mes meilleures années pour finir à la Ligue arabe, proteste Ben Dahmane. J'ai une carrière derrière moi. Les élections, c'est moi qui les gérais. Pas mal d'élus me doivent leur poste. Députés, maires, sénateurs...

— Hé ! lui signale Slim Touta le milliardaire. Je ne te dois que dalle, moi. Mon siège au Sénat, je l'ai acheté avec mon fric et payé cash... De quoi te plains-tu, à la fin ? Tu représentes l'Algérie à la Ligue arabe, ce n'est pas donné à tout le monde.

— Et moi, je te dis qu'on m'a forcé à l'exil. Je connais la musique. Mon père me disait : « Ouvre grands les yeux et serre fort les fesses. Tu regarderas plus loin que les autres et personne ne regardera au fond de toi. »

— Tu exagères, Ben, je t'assure. Tu vois le mal là où il est question de ton bien.

— Je n'ai rien demandé, ni faveur ni poste à l'étranger, martèle le politicard. J'ai à faire *ici*, en Algérie.

— En Algérie, on n'a pas *à faire*, on fait *des affaires*. Et tu es un as en la matière. Tu as ton quota dans les projets immobiliers, tu demandes des prêts à n'importe quelle banque et elle te les accorde sans taux d'intérêt, tu veux un terrain, tu l'as, tu veux une concession, elle est à toi. Qu'est-ce que tu désires de plus ?

— Je ne parle pas de ces pratiques courantes, Slim. Je parle de ma carrière. Je crois que j'ai un *destin* politique. J'en suis même archisûr. Il me faut le PDD. C'est mon cheval de bataille. Je connais mieux que personne ses arcanes et j'ai un programme nickel pour réformer le parti et bâtir une grande république...

— Parce que tu penses que tu es présidentiable ?

— Et pourquoi pas ? Ils ont quoi de plus, les candidats qui se bousculent aux portillons. Ils disparaissent de la circulation pendant toute la durée du mandat, et puis, dès qu'on parle d'élections, ils reviennent au galop. Ils n'ont pas besoin de campagne, ni de programme, ni de confrontations. Ils débarquent un matin, sans crier gare, et pensent...

— Ça suffit, s'écrie Ed Dayem. Tu nous soûles avec tes jérémiades. On est venus fêter la victoire de notre ami Tajedine, merde !

— On est en train de tailler une bavette entre nous, c'est tout, dit Ben conciliant. C'est interdit de discuter, maintenant ?

— T'es lourdingue, mec. Ça fait deux plombes que t'es dans l'inélégance totale. Tu n'es jamais content. Arrête, bordel. On ne s'entend plus roter avec toi.

— Pourquoi tu t'énerves comme ça, Eddie ?

— C'est à moi que tu poses la question ? T'es en train de plomber l'ambiance.

— OK, Eddie, je dis plus rien.

— Tu serais gentil.

Ben Dahmane jette l'éponge. Il se sert à boire et boude dans son coin.

Un moment d'accalmie s'ensuit.

Ali le banquier pêche un loukoum, mord dedans avec délectation. Il dit à Ed :

— C'est vrai qu'Omar Sfa t'a claqué la porte au nez ?

— Je l'ai viré, corrige Ed. Nuance.

— Bon sang ! Tu vas te débrouiller comment pour vendre ton canard maintenant que ton meilleur éditorialiste s'est barré ?

— Je n'ai qu'à siffler. Ce ne sont pas les mauvaises langues qui manquent.

— Les gens adoraient ses chroniques, dit Tajedine. Pourquoi tu l'as viré ?

— Parce que tout d'un coup il s'est découvert une conscience.

— C'est quoi, une conscience ? glapit Slim le sénateur pour amuser la galerie.

— Une tumeur maligne au cerveau, lui rétorque le banquier.

Slim le sénateur, Tajedine le diplomate et Ali Baba le Voleur éclatent de rire, leurs gueules d'hippopotame fendues en deux, la brioche tressautant de contractions, heureux d'être riches, puissants et ensemble dans un vaste pays où le peuple se sent à l'étroit, dépossédé de sa dernière chemise et seul au monde.

Ed Dayem ne rit pas. La figure éteinte, il se tourne vers la ville et observe les feux du port qui luisent au loin.

17.

Ed Dayem se pointe au pavillon 32 à 8 heures pile. Le gardien l'oriente sur la plage privée où, à l'ombre d'un parasol blanc, haj Hamerlaine interroge la mer. Il fait beau pour la saison. Le soleil aura le ciel pour lui tout seul. Des vaguelettes échouent sur le rivage, le clapotis furtif. Au large, un pétrolier se prend pour une île.

Le vieillard n'a pas prévu de siège pour son visiteur. Sa devise : « Tu leur tends la main, ils t'arrachent le bras. » « Ils », ce sont les Autres, l'enfer, le menu fretin, c'est-à-dire ceux qui n'appartiennent pas à la Loge – ce comité restreint d'usurpateurs « historiques » qui tire les ficelles derrière les institutions et les gouvernements successifs, faisant porter le chapeau aux décideurs « visibles », aux militaires et, quand les choses dérapent, à la main de l'étranger.

Étendu sur sa chaise longue, une couverture sur les jambes, des lunettes noires sur la figure, le vieillard étudie en catimini le bruit des pas qui s'approchent sur le sable. On évalue l'ennemi à la cadence de sa progression.

Ed n'a pas le temps de dire bonjour, la main du vieillard l'en dissuade. Il reste debout à côté du parasol, ne sachant sur quel pied danser. Ce matin, au téléphone, le vieillard l'a tutoyé pour la première fois. « Aurais-tu la gentillesse de passer au 32 ? » Ed s'était pincé. Gentillesse ? Ainsi le rboba se souvient encore de ce mot que l'on croyait banni de son lexique. Ed ne lui connaissait pas ce ton, non plus, linéaire, sans aspérités, presque humain. Que cache ce calme subit ? Quelle tempête est en train de sourdre derrière ? Ed n'a pas arrêté de se poser des questions dans la voiture sans leur trouver un semblant de réponse. Maintenant qu'il est là, penché sur le vieillard, il attend la sentence. Pour quelle faute, quel crime ? Ed a appris cette réalité effarante : avec les tsars de la République, on a immanquablement quelque chose à se reprocher.

Le silence dure une éternité.

Puis, sans crier gare, la voix du vieillard arrive, caverneuse, sombre :

— Shakespeare disait : *Celui qui a le pouvoir de faire du mal et qui s'abstient de l'exercer est un seigneur.*

— Belle sagesse, hasarde Ed.

— Mon cul ! glapit le vieillard. C'est la mièvrerie la plus crétine qu'il m'ait été donné de lire. Shakespeare était dans l'angélisme théorique. Il avait du succès, du talent, des fans, mais pas la moindre expérience du terrain et des hommes. Aucun seigneur ne peut durer sans sévir. Le pouvoir est le Mal. On ne peut pas les dissocier sans provoquer de cataclysmes. Les révolutions, les insurrections, les coups d'État, les ingérences, tous les dysfonctionnements d'une société viennent du laxisme. Ne dit-on pas : *Qui aime bien châtie bien* ?

— C'est ce qu'on dit, monsieur.

— C'est ce que *je fais* ! rugit le vieillard.

Son cri l'a esquinté.

Il se recroqueville sous sa couverture.

Après s'être raclé la gorge, il reprend :

— C'est la nature humaine qui veut ça, Eddie. La vie est une compétition. Il y a ceux qui rabaissent le monde à leur pied et ceux qui se font marcher dessus.

Ed se contente d'acquiescer de la tête. Il se demande quand le vieillard, qui adore étaler sa rhétorique, va mettre un peu d'ambre dans l'eau de ses ablutions et rentrer dans le vif du sujet.

— Vous ne semblez pas convaincu, Eddie.

— Quelle importance, monsieur ? Qui suis-je, moi, pour être d'accord ou pas ?

Le vieillard ne s'est pas tourné une seule fois vers lui. Il regarde droit devant l'embrun en train de se substituer à l'horizon, la houle que l'on devine ruminant ses rancœurs au large.

Ed commence à sentir des brûlures dans ses mollets. Le vieillard aurait pu prévoir une chaise, peste-t-il.

Au bout d'une interminable méditation, haj Hamerlaine lâche :

— Le loup est dans la bergerie.

— Je ne vois pas de qui vous parlez.

— Je *ne vois pas* comment il a pu s'introduire dans l'enclos. Je croyais mes étables, mes écuries, mes forteresses bien gardées, et voilà que le loup est chez moi. Je soulève un rideau, je regarde sous mon lit, dans mon coffre-fort, le loup est là et il me nargue. J'ignore comment il a fait pour accéder à mes codes, mais il a réussi à déjouer mes pièges et à tripoter mes serrures avec une audace et une facilité déconcertantes.

— Vous a-t-on volé quelque chose, monsieur ?

— *Tu parles !*

Il se tourne enfin vers le patron de presse, retire ses lunettes : ses yeux sont ternes, ombragés. Ed est surpris de déceler, chez le manitou, une sorte de mélancolie, comme une souffrance évanescente qui le rend à son statut de commun des mortels. Jamais il ne l'aurait cru capable d'un abattement ou d'un doute, et ce matin, sous le soleil éclatant d'Alger, le tout-puissant est presque aussi pathétique qu'une petite nature.

— Il est arrivé malheur, n'est-ce pas, monsieur ?

— Malheur à celui qui croit m'atteindre, Eddie. Un imprudent a osé se mesurer à moi. Il s'est attaqué à ma famille. Je veux savoir qui.

— Mon Dieu ! Comment est-ce possible ?

— Je me le demande.

— Qu'attendez-vous de moi ?

— La plus totale des discrétions.

— Je l'ai toujours observée.

— C'est la raison pour laquelle vous êtes encore de ce monde.

Le vieillard remet ses lunettes et revient sur la mer. Le pétrolier n'est plus qu'un grain obscur au loin. Une mouette rase les flots.

— Une certaine commissaire Nora Bilal mène l'enquête. Je veux savoir tout ce qu'elle fait, tout ce qu'elle trouve, tout ce qu'elle soupçonne. Il paraît qu'elle est un fin limier. Ça marche pour moi. Sauf que je tiens à avoir une longueur d'avance sur elle. Il est capital que je coince, le premier, le fils de pute qui a tendu sa sale patte jusqu'à ma famille. Il n'est pas question, pour moi, de le traîner devant un tribunal ou de le jeter en prison. Je pratique ma propre justice. Je suis juge et bourreau dans les affaires qui me concernent.

— J'attends vos instructions, monsieur.

— Je veux quelqu'un de confiance dans l'équipe de la commissaire.

— Nous avons le chef de sûreté à notre disposition.

— Croyez-vous que je l'ignore ? Je peux mettre le ministre de l'Intérieur dans le coup, si ça me chante. J'ai besoin d'un gars sans envergure, un petit malin qui ne paie pas de mine, un subalterne lambda qui se contenterait de nous informer en temps réel sans chercher à comprendre.

— Je pense avoir votre homme sous la main, monsieur.

— Pas trop gradé, j'espère.

— Le lieutenant Guerd. On l'a déjà utilisé plusieurs fois.

— Il est sûr ?

— Absolument. Nous lui devons, entre autres petits services, la disparition des pièces à conviction dans l'affaire des frères Ramdani. Il m'obéit au doigt et à l'œil. Et il ne coûte pas cher.

— Augmente-le et jette-le dans l'arène !

Le vieillard remonte la couverture jusqu'à sa poitrine et refait face à la mer.

Ed guette une réaction, une dernière recommandation. Le vieillard ne paraît plus de ce monde. Il est totalement occupé à mobiliser ses neurones pour la bataille qui s'annonce.

Lentement, le clapotis des vaguelettes se répand sur la plage tel un vent funeste.

Ed doit se retirer. L'entretien est fini.

18.

Le directeur de la Dz-Télévision est catégorique. La grille « Spécial ramadan » n'a pas encore été établie et aucune sitcom n'est en cours de préparation. Quant au casting, il n'en a pas entendu parler.

— Les candidates devaient se regrouper à Blida, précise Nora.

— On a nos propres locaux pour ce genre de sélection, objecte le directeur.

— Bizarre, fait l'inspecteur Zine.

— Il s'agit peut-être d'une sitcom lancée par une chaîne concurrente.

— Nous avons vérifié. Elles n'ont pas de budget pour ce genre de projet. Le père de la victime a parlé de télévision nationale.

— Il se trompe. Vous avez entendu notre directeur des programmations, hier. Il vous a montré les scénarios. On ne les a pas encore lus, et donc on n'a pas de tournages prévus. (Il consulte sa montre.) Désolé, j'ai une réunion dans moins de vingt minutes.

Nora le remercie pour sa coopération.

Les deux policiers retournent au Central, bredouilles. Trois jours qu'ils tournent en rond. Ils ont cherché dans les archives des journaux une quelconque annonce de casting susceptible de les mettre sur une piste ; rien. Joints au téléphone, les rares cinéastes qui collaborent avec la télé sont formels : s'il y avait une sitcom en vue, par ces temps de disette, ils se seraient étripés pour l'avoir.

Le lieutenant Guerd est en faction sur le parvis du commissariat, un sparadrap sur le nez, des lunettes de soleil plein la figure pour cacher ses bleus. Dès qu'il reconnaît la voiture de service de Nora au coin de la rue, il s'éclipse.

L'inspecteur Zine le trouve assis sur son propre siège, dans le cagibi.

— On t'a rétrogradé, lieutenant ?

— Pas vraiment.

— Alors, qu'est-ce que tu fiches encore derrière mon bureau ?

— C'est juste pour voir comment on se sent quand on compte pour des prunes. Tu devrais creuser une bouche d'aération. Ça schlingue la mort dans ta grotte. Même Mandela a l'air de crever sur la photo.

— Je ne supporte pas que l'on vienne fureter dans mon bureau quand je ne suis pas là. Tu es en train d'enfreindre le règlement, lieutenant.

— À t'entendre, on dirait que tu détiens des dossiers secret-défense dans tes tiroirs fracturés.

Guerd se lève en feignant de dépoussiérer son postérieur. Il dit :

— Même sur un trône, un plouc laisse sa bouse dessus.

— Qu'est-ce que tu me veux cette fois, lieutenant ?

— T'accorder une petite perm. Il paraît que tu as bossé comme un cheval de labour, ces derniers jours.

— Ta convalescence est déjà finie ?

— On m'a rappelé d'urgence. Hé ! Le tribut de la compétence. On ne peut plus se passer de moi au Central. Quand ça barde, on crie au miracle, et je rapplique au galop. Je reprends l'enquête, et toi, tu peux disposer.

— Nora est-elle informée ?

— Elle le sera bientôt.

— Il faut que j'aie sa permission.

— C'est le monde à l'envers. Depuis quand les hommes sont-ils aux ordres des femmes ?

— C'est tout le paradoxe des hiérarchies. On est souvent commandés par des chefs qui ne vous arrivent pas à la cheville.

Guerd ne saisit pas l'allusion. Il exhibe un document en bonne et due forme :

— C'est signé par le divisionnaire, mon gars. Le patron, c'est lui. Et s'il t'accorde trois jours de congé, ce n'est pas une faveur, c'est une sommation.

— J'espère que tu sais ce que tu fais.

— On n'apprend pas à son papa à faire des enfants. Maintenant, casse-toi.

— Je vais me gêner.

L'inspecteur rentre chez lui mettre quelques affaires dans un sac et saute dans sa vieille Peugeot, pressé de se rendre à Fouka-Marine, chez son ami Sid-Ahmed.

Les temps ont muté, et à Alger, on ne distingue plus le vertige de la nausée ; chauffés à blanc, les esprits sont en train de fondre comme du plomb dans un mélange de renoncement et de dégoût. Alger n'est plus elle-même ; ses soubassements n'ont pas plus de mystères que d'attraits. Ses noceurs exilés, la cité est infestée par des arrivistes sauvagement fortunés, sans classe et sans statut, qui croient dur comme fer que les vertus ont un prix, ainsi que le mérite. Ils ont inversé l'échelle des valeurs, marché sur les corps de bataille et l'ordre des choses, foulé aux pieds les lignes rouges et les monuments, certains de corrompre et les âmes et les serments rien qu'en leur crachant dessus.

Chaque matin au réveil, Zine s'aperçoit que l'on devient de plus en plus étranger à soi-même. C'est donc aussi content qu'un gosse d'internat en excursion qu'il appuie sur le champignon pour s'éloigner au plus vite de cette ville qu'il adorait et qu'il ne reconnaît plus.

Il s'arrête en chemin, achète des provisions chez un marchand de légumes, des bières dans un zinc clandestin dont il connaît le gérant et, à midi, il surprend son vieux copain en train de griller du poisson sur un barbecue de fortune.

Quel formidable dépaysement.

Chaque fois qu'il emprunte la piste qui mène à la plage, Zine préfère s'arrêter, descendre de la voiture, humer les parfums de la mer à pleins poumons et sentir la brise sur son visage. Le coin est discutable avec ses sachets en plastique accrochés aux buissons et aux grillages, ses galets enrobés de goudron et ses rigoles déversant leurs souillures nauséabondes çà et là, mais il a le mérite de constituer un véritable havre de paix lorsque les estivants l'évacuent. Seule une poignée de clodos débonnaires viennent par ici cuver leur vin sous le regard de quelques pêcheurs isolés. Pas de bagarres. Pas de chahut. Pour Zine, c'est le pied. Le soir, il adore contempler le couchant s'enflammer telle une aurore boréale prise en faute. Quand tombe la nuit, il a envie de s'endormir jusqu'à ce que mort s'ensuive, bercé par le roulement des vagues.

La bicoque de Sid-Ahmed tient tant bien que mal sur un rocher, les pieds dans l'eau. Le sel a dévoré ses murs et la rouille ses volets. De larges lézardes balafrent ses façades tandis que la toiture commence à se décoiffer par endroits. La baraque la plus proche se trouve à une dizaine d'encablures, squattée par des personnages secrets. Hormis un vieux poteau électrique éventré, on se croirait sur une île sauvage. Zine adore l'endroit. Il pourrait se mettre à poil sans risquer de choquer. Les gens ne sont pas regardants dans le secteur. Chacun s'occupe de ses petites misères, et vogue la galère.

Avant, Sid-Ahmed vivait à Alger, sur les hauteurs des Tagarins, dans un bel appartement. Vedette de la radio, il animait une passionnante émission littéraire sur la Chaîne 3 avec son idole et complice Djamel Amrani, un poète de grand talent. Ça roulait sur du velours pour lui jusqu'au jour où il reçut des menaces de mort. Les terroristes réclamaient sa tête. Il emménagea avec sa femme dans un autre quartier. Puis sa femme fut assassinée dans la rue. Sid-Ahmed s'aperçut qu'il était seul au monde. De dépressions en tentatives de suicide, il finit à l'hôpital psychiatrique où il partagea sa chambrée avec Zine. Une fois rétabli, le journaliste erra d'une planque à l'autre, traqué par son ombre, passant ses nuits à faire le guet à sa fenêtre et ses jours à se terrer plus profond qu'une racine d'acacia. Sans s'en rendre compte, il devint trimardeur et ivrogne. Grâce à l'inspecteur, qui connaissait le maire de Fouka, on l'autorisa à occuper la bicoque désaffectée sur le rocher, et depuis il y vivait en solitaire, entouré de ses bouquins et de ses fantômes.

— Tu tombes à pic, lance-t-il à l'inspecteur aux bras chargés de provisions. Je viens à peine de sortir le poisson de l'eau.

— Je me régale rien qu'au fumet.

Sid-Ahmed continue d'agiter son bout de carton pardessus le barbecue. De la tête, il invite son ami à poser son fardeau à l'intérieur. Zine entre par une porte déglinguée, entasse ses sacs de provisions dans l'unique pièce du taudis sommairement meublé : un lit de camp, une natte matelassée enroulée dans un coin, un tabouret, une table basse boiteuse, une petite armoire débordant de livres et, scotchés sur le mur lépreux, deux posters d'Angela Davis et de Djamila Bouhired.

Sur la paroi d'en face, on a écrit avec un morceau de charbon :

En Algérie, les génies ne brillent pas, ils brûlent. Lorsqu'ils échappent à l'autodafé, ils finissent sur le bûcher. Si, par mégarde, on les met sous les feux de la rampe, c'est pour mieux éclairer les snipers.

Zine ne se souvient pas d'avoir remarqué ce « manifeste » auparavant. Il lâche un soupir et rejoint son ami sur une dalle de ciment qui tient lieu de terrasse.

— Je t'aurais acheté une pile de cahiers, Sid, si tu me l'avais demandé.

— J'ai pas besoin de cahiers.

— C'est pour ça que tu écris sur les murs ?

Sid-Ahmed marque une pause, un sourcil plus haut que l'autre.

— Qu'est-ce qui te prend ? poursuit l'inspecteur. C'est l'inspiration qui te rattrape ou bien tu deviens somnambule ?

— Me cherche pas, Zine, dit l'ancien journaliste d'un ton gros comme un orage.

L'inspecteur gonfle les joues ; il laisse tomber.

La mer est calme. Une brise vétilleuse taquine la mousse du rocher.

— Je t'ai attendu vendredi, dit Sid-Ahmed, histoire de changer de disque.

— J'étais de permanence.

— Comment vont les bandits ?

— Ils se portent à merveille, merci.

Sid-Ahmed retire du feu une sole brûlante, l'étale sur une assiette ébréchée et la tend à son hôte.

— Gave-toi, poulet, dit-il en se pourléchant les doigts.

Zine s'assoit sur une pierre et commence à manger.

— Qu'est-ce qui t'amène au beau milieu de la semaine ?

— Le vent qui tourne.

— J'imagine. Les girouettes s'amusent.

— Tout à fait, Sid.

— Pourquoi gardes-tu ton uniforme de flic ?

— Il faut bien que quelqu'un le porte.

— Pour se voiler la face ?

— Je te trouve bien agressif aujourd'hui, kho.

Sid porte un doigt à sa joue :

— Sais-tu pourquoi la justice porte un bandeau ?

— Je ne vois pas le rapport, mais je suppose que tu as une bonne explication.

— La justice porte un bandeau pour cacher son strabisme. Elle ne regardera jamais du côté des faibles. Même la nature est sélective, et le hasard ne prête qu'aux riches. Le monde est injuste. Toi, tu es injuste.

— Ah bon ?

— Tu portes un insigne comme un vulgaire pin's. Tu bottes le cul aux minus, et tu regardes ailleurs lorsqu'un requin écume les eaux troubles. C'est pas juste.

— Dois-je comprendre que tu es en train de me chasser ?

— Je m'en voudrais, poulet.

Après le repas, ils s'installent face à la mer, sur des chaises en toile que Sid-Ahmed a récupérées sur la plage. Ils sifflent quelques bières, fument un joint. En silence. L'ancien journaliste s'assoupit derechef, un chèche sur la figure. L'inspecteur reste éveillé, attentif au chuintement de la mer. Chaque vague qui se retire semble le débarrasser d'une toxine.

Soudain, son mobile se met à vibrer.

C'est Nora :

— Où es-tu passé, bon sang ?

— Le divisionnaire m'a accordé une perm.

— Ton chef direct, c'est moi. Je t'ordonne de rentrer tout de suite.

— J'arrive.

Sid-Ahmed se dévoile, abruti de sommeil.

— Tu t'en vas déjà ?

— Le devoir, lui fait Zine, dépité.

— Ça existe encore ?

— Tant qu'il y aura des *minus* en ce monde.

19.

Le restaurant Le Corsaire n'a pas encore ouvert, mais le personnel s'y active. C'est un magnifique établissement en verre, flanqué de pergolas et de stores rouge coquelicot qui font penser aux brasseries chic de Paris. Le parking est joliment tracé, avec des pins en guise de bordure et des projecteurs aux quatre coins. Une petite allée recouverte de cailloutis blanc glisse sous une marquise jusqu'à une vaste terrasse fleurie. La porte vitrée coulisse d'elle-même à l'approche des clients. À l'intérieur, tout est chromé, étincelant, les murs tapissés de miroirs lambrissés, les appliques en forme de coquillages géants, les tables recouvertes de nappes laiteuses. Derrière un splendide comptoir en acajou, le barman range son attirail, la chemise impeccable, le nœud papillon haut perché. C'est un homme d'un certain âge, propre comme un sou neuf, les tempes grisonnantes et la moustache torsadée comme il sied aux Algérois de souche élevés par El-Anka dans la droiture et l'estime de soi. Il se met presque au garde-à-vous lorsque Nora lui présente sa plaque de flic.

— Nous cherchons Mourad Hérat. Il paraît qu'il travaille ici.

— Il est affecté au service externe, madame.

— C'est-à-dire ?

— Il est voiturier. Il ne sera là qu'à l'ouverture, dans une petite heure.

Nora consulte Zine du regard. L'inspecteur écarte les bras en signe d'embarras.

— Peut-on attendre ici ? fait Guerd sur un ton autoritaire.

— Bien sûr. La police est la bienvenue chez nous. Je vais vous conduire dans l'aile VIP.

Le barman les installe dans un superbe salon pavoisé de brocart et revient avec un plateau de gâteaux tunisiens et de rafraîchissements.

— C'est offert par la maison, précise le barman obséquieux.

— J'espère qu'on nous invitera à dîner, croit judicieux de suggérer le lieutenant.

Le barman s'abstient d'outrepasser ses prérogatives. Il esquisse un sourire pour faire diversion et file astiquer son comptoir.

C'est le gérant en personne, un homme tiré à quatre épingles, qui amène le voiturier une heure plus tard. Il paraît préoccupé. Nora le rassure avant de le libérer.

Mourad Hérat ne semble pas inquiet. Beau garçon, ravissant dans son costume de groom, les yeux clairs et la dégaine à la Brad Pitt, il ferait un tabac à l'écran.

— On ne t'a pas vu à l'enterrement de ta fiancée Nedjma, tente de le brusquer le lieutenant.

— Personne ne m'a rien dit, fait le voiturier avec calme. J'étais à Bouira. Mon père a subi une opération chirurgicale. Je n'ai appris la nouvelle qu'hier matin.

— Tu es sûr qu'elle était partie à Blida pour un casting ? enchaîne Nora.

— C'est ce qu'elle m'a raconté.

— Pourquoi ne l'as-tu pas accompagnée ? Blida, ce n'est pas le bout du monde et tu avais toute la journée.

— Parce que je n'étais pas d'accord. Je ne voulais pas que ma femme fasse du cinéma.

— Comment avait-elle su qu'il y avait un casting ?

— Je l'ignore. Peut-être à l'université. Elle n'arrêtait pas de laisser entendre autour d'elle qu'elle rêvait de devenir actrice. Quelqu'un lui avait peut-être parlé de la sitcom.

— Vous étiez fiancés depuis combien de temps ?

— Six mois.

— Tu étais où, le 23 décembre ?

— Chez un ami qui me loge. À Kouba.

Les questions fusent de tous les côtés, sèches, sans intervalles.

— Quand as-tu vu Nedjma pour la dernière fois ?

— La veille du casting. On est allés déguster un sorbet au Palais des glaces. C'est là qu'elle m'a annoncé qu'elle postulait pour une série télévisée. Je ne m'attendais pas à ça. J'étais en colère et je l'ai menacée de rompre. Je viens de la campagne, moi. J'ai accepté qu'elle poursuive ses études, mais de là à tolérer qu'elle se donne en spectacle, pas question.

— Elle n'a pas cité de nom ou de boîte de production, enfin des trucs de ce genre ?

— Je ne voulais rien savoir. Chez nous, actrice, ce n'est pas un métier respectable. Elle a essayé d'argumenter. J'ai dit non et je l'ai laissée au Palais. Je n'ai pas répondu à ses coups de fil dans la soirée.

— Tu avais donc rompu avec elle.

— Non. Je l'aimais. J'espérais qu'elle renonce à son projet.

— Tu n'as pas tenté de l'en empêcher le lendemain.

— J'ai trop d'orgueil. Je croyais que je comptais pour elle et qu'elle allait changer d'avis. Elle ne s'est pas assagie.

— Elle est partie seule ou bien avec des copines ?

— Je n'étais pas là... Est-ce que je peux disposer ? J'entends une voiture qui arrive.

L'inspecteur prend les coordonnées du voiturier et le libère.

Les trois policiers quittent le restaurant.

Guerd est contrarié que sa suggestion au barman n'ait pas été exaucée. Il cède le volant à l'inspecteur et boude sur la banquette arrière. Il grommelle :

— Le gamin ne m'a pas convaincu.

— Tu te bases sur quoi ? lui demande Zine.

— L'intuition. Un bon flic flaire tout de suite le coup fourré.

— Avec ton tarin endommagé, ça m'étonnerait.

— Dis donc, inspecteur Gadget, comment tu fais pour être drôle sans te mettre du rouge sur le nez ?

— Il me suffit de t'écouter.

Nora porte sa main à sa bouche pour masquer son sourire. Guerd n'apprécie guère le gloussement de la commissaire ni la complicité des deux larrons sur les sièges de devant. Il crispe les mâchoires et les poings.

Amina Frid était la meilleure amie de Nedjma. Elles avaient fréquenté le même lycée et opté pour la même discipline à l'université. Très affectée par la mort de sa confidente, elle sèche les cours depuis qu'elle a appris la terrible nouvelle.

Elle accepte de recevoir Nora et ses deux coéquipiers à El-Harrach où elle habite chez sa mère.

— Mourad est un menteur, fulmine-t-elle. Il était avec elle lorsqu'on est venu la chercher pour le casting. Je les ai vus de mes propres yeux papoter devant le portail de la fac. Un 4 × 4 noir est arrivé. Mourad a embrassé Nedjma sur les joues et lui a ouvert la portière. Nedjma est montée à bord et le 4 × 4 est parti.

— Ce n'est pas ce qu'il nous a raconté. Selon lui, il n'était pas d'accord pour qu'elle fasse du cinéma...

— Quoi ? s'indigne l'étudiante, de plus en plus hors d'elle. C'est lui qui l'a encouragée à postuler pour le rôle. Il était tout le temps en train de lui bourrer le crâne avec des promesses farfelues. « Tu as ça dans l'âme, qu'il lui ronronnait. Tu n'as pas le droit d'étouffer le don que Dieu t'a donné. Tu peux t'offrir une carrière de rêve. Tu as tout pour briller. Tu es belle, tu as de la prestance. Un jour, tu monteras les marches à Cannes. » Il la harcelait. C'est vrai que Nedjma s'intéressait au cinéma, mais elle voulait finir ses études d'abord.

Le lieutenant Guerd hausse un sourcil, signifiant à ses collègues que son *intuition* fonctionne malgré son nez bousillé.

Nora tente de calmer l'étudiante que l'évocation de la défunte bouleverse. Amina est en larmes. Le canapé sur lequel elle se tient tremble sous ses accès de colère.

— Mourad dit que sa fiancée...

— Fiancée ? s'embrase l'étudiante. Mourad est un coureur de jupons. Il s'est amouraché de la plupart des filles de l'université. Il leur promettait de toucher un mot aux profs pour qu'ils les surnotent aux examens, les embarquait dans des histoires à dormir debout, les conviait à des soirées arrosées. Il avait du fric par paquets et fréquentait les hôtels haut de gamme. Depuis le début, j'avais mis en garde Nedjma. Je lui disais que ce type était louche. La preuve, toutes les filles qu'il avait séduites ont renoncé aux études pour hanter les palaces.

— C'est-à-dire ?

— C'est pourtant clair.

— Pas suffisamment pour la police, lui dit Nora.

Amina se tourne vers sa mère qui, du bout des cils, l'encourage à s'expliquer.

— Elles monnayent leur corps.

— Nedjma aussi ?

— Nedjma ne se doutait de rien. Elle était supposée être la fiancée adulée. Mais Mourad opérait de la même façon avec les autres filles. Il les choisissait belles et un peu ingénues, leur bouffait la cervelle, poussait la supercherie jusqu'à demander officiellement leur main puis, petit à petit, il les détournait. C'est un maquereau. Il approvisionne les grosses légumes en chair fraîche. Ça crevait les yeux, mais Nedjma était amoureuse. Je l'avais présentée à Nabila, une ex-fiancée de Mourad, pour l'entendre lui raconter ce que ce fumier avait fait d'elle. Nedjma a refusé de l'écouter. Elle la croyait jalouse.

— Qu'en pense ton intuition ? demande Zine au lieutenant après avoir pris congé de l'étudiante.

— La gamine délire, dit Guerd. Elle a plus de haine pour le fiancé éploré que de chagrin pour feu sa copine. Un gars qui se balade avec des paquets de fric, qui fréquente les palaces et qui, le soir, finit voiturier, ça n'a pas de sens.

— Elle parle d'un 4 × 4.

— Tous les ringards pommadés roulent en 4 × 4.

— Tu ne crois pas à cette histoire de filles débauchées ?

— Pas une seconde. La gamine en veut à mort à Mourad. Si ça se trouve, elle avait le béguin pour lui et ne lui pardonne pas de lui avoir préféré sa meilleure amie. Je me méfie des femmes frustrées. Elles sont capables d'accuser le pape de forniquer avec le diable.

Nora lui décoche un regard incandescent.

— Je ne vous vise pas, commissaire, sur la tête de ma mère, dit le lieutenant, les bras en avant pour parer à une collision frontale.

Retour au Corsaire.

Le restaurant grouille de monde, le parking affiche complet. Un nabab célèbre l'anniversaire de son rejeton. Il a invité tout le quartier, ainsi qu'un orchestre de flamenco venu spécialement de Grenade. La fête bat son plein. Nora et ses deux subordonnés ont cherché derrière les rideaux et sous le châssis des grosses cylindrées : le voiturier aux yeux limpides s'est envolé.

20.

— Tu es gauchère ? demande Zine à la commissaire en train d'émarger une note de service.

Nora pose son stylo, une moue attendrie sur les lèvres.

— Ma mère me flanquait de ces raclées ! Elle était terrorisée de me voir utiliser ma main gauche. « C'est la main du démon, hurlait-elle en s'arrachant les cheveux. Il faut que tu apprennes à manger avec ta main droite sinon tout ce que tu avales ne sera pas béni. » J'ai essayé, mais on ne se réforme pas si facilement.

— Curieux comme les humains voient le mal partout. Ils tracent des lignes de démarcation jusque sur leur propre corps.

— Ça a toujours été ainsi. Ils ne sauraient pas se passer des conflits.

Une secrétaire vient débarrasser la commissaire du parapheur. Elle est jolie, les pommettes hautes, les yeux légèrement bridés et le chignon austère. Le regard qu'elle coule vers l'inspecteur fait sourire Nora. Zine est beau garçon, bien baraqué, un peu ours mal léché, mais il a du potentiel ; son célibat fait espérer l'ensemble des vieilles filles du Central.

À cet instant, le lieutenant Guerd se présente au rapport. Il n'est pas ravi de trouver l'inspecteur dans le bureau de la chef ; leur complicité, qu'il perçoit comme une alliance contre lui, lui tape sur le système. Il s'en veut d'avoir sorti l'inspecteur de son terrier. Il pensait le jeter dans le pétrin et voilà le subalterne qui prend ses aises, lui qu'on ne distinguait guère dans la pénombre délétère de son cagibi.

Guerd n'accepterait pas de rester debout tandis que l'inspecteur, confortablement blotti dans un fauteuil, un genou par-dessus l'autre, sirote un café. Sans attendre d'invitation, il s'assied à son tour et dit :

— Mourad Hérat nous a menti sur toute la ligne. Je reviens de Kouba. L'adresse qu'il nous a donnée est celle d'une épicerie. Le propriétaire atteste qu'il n'héberge personne chez lui. Normal, il a sept gosses. J'ai montré la photo du voiturier à un tas de jeunes dans la cité. Personne ne l'a reconnu.

— J'ai lancé un avis de recherche concernant notre fugitif, déclare Nora. Le gérant du Corsaire nous a communiqué les coordonnées de ses parents. La gendarmerie de Bouira a été saisie aussi.

— On va faire quoi en attendant ?

— On cherche. C'est notre boulot. La fuite de Mourad Hérat est la preuve qu'on a remué le cocotier. L'étudiante pourrait nous aider davantage. Elle n'était pas dans son état, hier. On va la laisser se reposer et on retourne lui poser les bonnes questions. J'aimerais aussi connaître la version de cette ex-fiancée Nabila. Zine et moi irons bousculer du monde du côté des grands hôtels, toi, tu vas à l'université. Il paraît que notre bonhomme y bossait à la bibliothèque avant d'être embauché comme voiturier au Corsaire.

Guerd se gratte la tête. Il se gratte toujours la tête quand les choses lui échappent. À quel jeu la commissaire Nora s'amuse-t-elle ? La bibliothécaire de l'université, une vieille dame momifiée, lui a certifié que Mourad Hérat n'a jamais fait partie de son personnel. Le lieutenant a consulté le registre des stagiaires, des contractuels, des adhérents ; le nom du fugitif n'y figure pas. Mourad Hérat n'est même pas venu emprunter un livre. Guerd est en rage. La commissaire l'a-t-elle envoyé sur une fausse piste pour le tenir hors circuit ? Certes, elle ne l'aime pas, mais de là à lui faire perdre son temps et son énergie dans le cadre d'une enquête ! Il n'a pas écourté sa convalescence de son propre chef. C'est le divisionnaire qui l'a rappelé d'urgence et réintégré dans l'équipe. « Il va falloir qu'elle s'explique, cette garce », se dit-il à haute voix.

Guerd va d'abord dans un café commander un noir bien dosé, fumer trois cigarettes d'affilée et gamberger sur l'attitude qu'il doit adopter. Inutile de ruer dans les brancards, se résout-il une fois calmé. Ça ne servirait à rien de protester ou d'exiger des explications. Nora trouverait sans coup férir une parade. Elle se contenterait de lui faire croire qu'elle s'était peut-être trompée, et le malentendu serait clos.

Guerd appelle Ed Dayem. Ce dernier accepte de le rencontrer à « l'endroit habituel », une petite boutique spécialisée dans l'équipement électronique, rue Larbi-Ben-M'hidi, à proximité de la Grande Poste. C'est là que Guerd reçoit ses ordres du patron de presse et où il revient chercher son enveloppe après ses prestations de services parallèles.

Karima est à l'accueil, fardée et sapée comme une hôtesse de casino. Le lieutenant rêve de la « dévoyer », mais elle lui résiste. Cet après-midi, elle a mis trop de rouge à lèvres et son fond de teint n'arrive pas à colmater ses rides.

— Monsieur Dayem...

— Il vous attend dans son bureau, se hâte-t-elle de lui annoncer dans l'espoir de se débarrasser de lui au plus vite.

Guerd s'arrête au comptoir, exprès. Il reluque la dame, la gueule humide, s'assure que personne n'est aux alentours et lui souffle dans l'oreille :

— Toujours vierge, Kiki ?

— On ne peut rien vous cacher, lieutenant.

— Je peux y remédier, si vous voulez. Il suffit de demander.

— Merci beaucoup. Je garde ce privilège pour mon futur époux.

— Parce que vous espérez encore rencontrer l'âme sœur ?

— Tant qu'il y a de la vie...

— Eh bien, vous pouvez toujours attendre, maugrée le lieutenant en disparaissant au bout du couloir.

Karima serre les lèvres pour contenir sa colère. Lorsqu'elle entend la porte du fond s'ouvrir et se refermer, elle lâche, les yeux miroitant de larmes :

— Et vous, Colombo d'opérette, vous pouvez toujours courir.

Ed Dayem ouvre grands les bras pour accueillir le policier.

— Mon cher Guerd, quel bonheur de te revoir... Qu'est-ce que tu as sur la figure ?

— Je suis tombé dans l'escalier.

— Tu aurais dû prendre l'ascenseur, ironise Ed en poussant un siège vers le policier.

— Je suis claustrophobe.

— Tu veux boire quelque chose ? Un thé à la menthe ?

— Ce ne serait pas de refus si vous y ajoutiez une assiettée de pistaches bien salées.

— À condition de tout nettoyer après. Tu as la manie de transformer un buffet en décharge publique... Alors, c'est quoi, le problème ?

Guerd pose une photo sur le bureau.

— Notre suspect n° 1. Mourad Hérat, voiturier. Je me suis procuré la photo au Corsaire où il exerçait. Il était fiancé à la fille assassinée. Depuis qu'on lui a rendu visite, le bonhomme a disparu de la circulation. Il paraît qu'il maquait des étudiantes et que c'est lui qui encourageait Nedjma à faire du cinéma. Un avis de recherche a été lancé contre lui.

Ed Dayem tourne la photo vers lui.

— J'ai l'impression de l'avoir déjà vu.

— Probablement au Corsaire.

— C'est un resto pour ploucs friqués. Je n'y vais jamais.

— Peut-être dans les palaces. On raconte qu'il les fréquentait pour livrer de la chair fraîche à une certaine clientèle.

— Tu as cherché de ce côté ?

— Justement, c'est la raison de ma présence ici. La commissaire m'envoie là où il n'y a pas grand-chose à glaner et s'offre le beau rôle. Cette salope m'a préféré un tire-au-flanc d'inspecteur qui ne sait même pas filer une vache dans un pré.

— Peut-être couchent-ils ensemble et qu'ils avaient besoin d'un moment d'intimité.

— La commissaire est lesbienne.

— Vraiment.
— Croix de bois, croix de fer.
— Vous tolérez les homos dans la police ?
— Puisqu'on a poussé l'impudence jusqu'à distribuer des grades à des gonzesses, pourquoi se gêner ? (Il redevient grave.) Je suis sérieux, Eddie. La commissaire se méfie de moi. Se doute-t-elle de quelque chose ?
— Pourquoi veux-tu qu'elle se doute de quoi que ce soit ? Elle mène une enquête, pas une croisade.
— Ça me travaille. Je ne comprends pas. Elle ne me blaire pas, c'est un fait. Se méfier, c'est une autre paire de manches. Des questions bizarres me trottent dans la tête. Faudrait que tu éclaires un peu plus ma lanterne, Eddie. J'ai l'impression d'être à côté de la plaque. Qui est cette fille assassinée à Baïnem ? Et pourquoi une grosse huile de ton envergure s'intéresse-t-elle à son...
— Guerd ! le freine Dayem. Tu es en train de mettre le doigt dans un broyeur.

Le lieutenant enclenche la marche arrière illico presto.

— C'est juste pour que je fasse attention au cas où il y aurait du grabuge, couine-t-il.
— Il n'y aura pas de grabuge. Je suis patron de presse et le fait divers m'importe. Une fille trouvée sans vie dans une forêt pourrait faire l'objet d'un beau feuilleton pour mes journaux. Les lecteurs ont besoin de se divertir. Les scandales politiques, c'est bien, mais ça fatigue à la longue ; les histoires de meurtre, on en redemande sans entracte.

Guerd ne le croit pas une seconde, mais il acquiesce. De toute façon, tant que son enveloppe est bien garnie, le reste, il s'en fiche. Il a toujours agi à la marge des affaires scabreuses sans se prendre la tête, et Dayem s'est montré généreux à l'issue de chaque fin d'épisode. Cependant, c'est la banalité du fait divers qui le tarabuste. Des cadavres de cette nature, on en ramasse à la pelle dans les maquis, les cages d'escalier et sur les plages. Pas une fois on ne l'a sollicité. Et voilà que la mort d'une étudiante, fille d'un pauvre instituteur moisissant dans une HLM minable, mobilise jusqu'au divisionnaire.

— Je n'aime pas quand tu réfléchis, lieutenant, lui dit Dayem.

— Je ne réfléchis pas.

— Mais si, tu es en train de réfléchir, et ce n'est pas bon signe... Sais-tu ce qu'il arrive à une tête de nœud lorsqu'elle réfléchit ? Un effet de serre s'opère dans son esprit et, après, elle ne peut plus se faire une idée sur les choses peu flatteuses qui pourraient lui arriver.

— Je ne suis pas une tête de nœud. La preuve, j'ai une longueur d'avance sur les gars de ma promo.

— Quand on va vite en besogne, on dérape, lieutenant. On vit dans un pays où les coups de génie ressemblent à s'y méprendre aux coups du lapin. Tu aimerais finir dans un micro-ondes ?

— Le lapin, je le préfère dans mon assiette, Eddie.

— Alors cravate-toi d'une bavette et tâche de ne pas parler la bouche pleine. Tu es ici pour écouter, rien qu'écouter, poursuit-il sur un ton autoritaire. On ne te demande pas la lune. Contente-toi de coller à l'arrière-train de la commissaire et de me communiquer en vrac les informations. Pas la peine de les trier. Je m'arrangerai pour procéder au recoupement. Si c'est trop te demander, j'engagerai quelqu'un d'autre.

— Je roule pour toi depuis des années. T'ai-je déçu une seule fois ?

— Eh bien, là, tu me déçois.

— C'n'est pas que je doute, tente de se rattraper le lieutenant. Je veux juste comprendre pourquoi la commissaire se méfie de moi. Elle a choisi l'inspecteur pour l'accompagner du bon côté, et moi, elle m'a envoyé dans les cordes.

— Si c'est ça qui te tracasse, je toucherai volontiers deux mots au divisionnaire.

— Pourquoi ne pas me charger personnellement de l'enquête ? Je suis dans le métier depuis des lustres.

— Tu n'es pas commissaire, Guerd.

— Je mérite bien une promotion. Ça fait des années que je stagne. Tu peux glisser une petite suggestion dans l'oreille du chef de sûreté, toi. Ou bien dans celle du ministre. Ils seraient ravis de t'accorder une faveur après tout ce que tu fais pour eux.

Dayem l'arrête de la main :

— On ne demande pas aux prophètes ce que seul le bon Dieu est en mesure d'exaucer, lieutenant. Pour être franc avec toi, je préfère garder mes distances. Dans notre pays, tu demandes l'aumône, on te l'accorde, puis on revient te réclamer la peau de tes fesses... Je peux doubler le volume de ton enveloppe ; pour les galons, ce n'est pas dans mes attributions. La balle est dans ton camp. Qu'est-ce que tu décides ?

— Je la garde.

— Tu vois ? C'est lorsque tu ne réfléchis pas que tu ne perds pas ton temps.

Dayem extirpe une liasse de billets et la pousse vers le lieutenant qui l'escamote plus vite qu'un magicien.

21.

Le brigadier Issa ouvre la marche, flottant dans son uniforme trop grand pour lui. Il boite à cause d'une blessure contractée lors d'une embuscade terroriste. Tempes chenues, moustache éparse, dos courbé, il gère sa vieillesse avec un je-m'en-foutisme hallucinant. On lui a proposé une retraite bien rémunérée ; il a choisi de rester au sous-sol du commissariat à surveiller la mauvaise graine que la fureur des rues lui fourgue tous les jours. Le brigadier Issa ne s'en plaint guère. Il ne lit pas de bouquins, ne regarde pas la télé, ne sait pas remplir les cases des mots fléchés ; ses geôles grouillent de brebis galeuses et ça l'occupe. D'ailleurs, séquelle professionnelle oblige, il ne conçoit pas l'existence sans une matraque au poing ni un trousseau de clefs accroché au ceinturon. Lorsque l'occasion lui est offerte de ratatiner quelques poires, il s'en donne à cœur joie. La chiourme, c'est toute sa vie. Il ne réclame ni les jours de récupération ni les congés. Pour aller où ? Le bled dégouline d'ennui, les bistros croulent sous le poids des aigreurs, les cinémas sont livrés aux rats et aux araignées et les jardins publics infestés de désœuvrés shootés au crack synthétique. Issa se voit mal se tournant les pouces sur le pas de son gourbi, là-bas dans les Hauts-Plateaux où le vent brûlant du désert a asséché jusqu'aux esprits. Certes, il n'est pas mieux loti au sous-sol du commissariat, mais c'est mieux qu'égrener son chapelet de chibani sous le soleil blanc de l'agonie. Sa vieille épouse radote, les rejetons se sont volatilisés ; il n'a plus personne à qui se confier. Aussi, lorsqu'il entend les détenus gueuler le soir, il s'aperçoit que la vie continue ; il fait alors un trou dans son oreiller et dort du sommeil du juste dans son box de maton où aucun chef ne le dérange une fois l'extinction des feux observée.

Derrière le brigadier suivent Nora, Guerd et Zine. Leurs pas résonnent dans le couloir obscur sur lequel veillent des ampoules grillagées. Dans une cellule isolée, un jeune homme se tient la caboche à deux mains, effondré derrière une table de réfectoire. C'est Mourad Hérat, livré la veille par la gendarmerie. Il a été surpris dans un hammam à Palestro. Son œil au beurre noir raconte qu'il a tenté de résister, mais l'état de ses frusques atteste que ce n'était pas une bonne idée.

— Tu as fait de beaux rêves ? lui demande Guerd.

— Qu'est-ce que je fous dans cette foire de détraqués ? geint le fugitif. J'ai pas fermé l'œil et on ne m'a rien donné à bouffer.

— Ça te change des palaces, lui dit Nora.

— Je suis innocent, moi.

— Dans ce cas, pourquoi tu t'es barré ?

— Je ne me suis pas barré. Je ne tiens pas à être mêlé à une histoire qui n'est pas la mienne. Je vous ai dit ce que je sais. Après votre départ, le directeur du resto m'a viré. Que voulez-vous que je fasse ? Porter plainte pour licenciement abusif ? Ça ne marche pas dans ce pays. J'ai bouclé ma valise et je suis rentré chez moi. J'avais besoin de déstresser.

— Dans un hammam à Palestro ?

— Je n'ai pas assez d'oseille pour m'offrir une chambre à l'hôtel.

— Tu n'étais pas obligé. Bouira, c'est à côté.

— Mon père a subi une opération à cœur ouvert. Je ne voulais pas l'inquiéter. Il n'est pas au courant pour Nedjma. Je suis encore sous le choc. Je n'arrive pas à mettre de l'ordre dans mes idées. On allait se marier au printemps. Je l'aimais plus que tout au monde. J'ai du mal à la croire morte.

— Comme c'est touchant, ironise Guerd en s'asseyant à califourchon sur une chaise face au suspect.

Le mobile vibre dans la poche de la commissaire. Le cadran indique *Sonia.* Nora ne prend pas l'appel.

Mourad s'essuie le visage avec un bout de sa chemise. Le fringant voiturier de l'autre jour n'est plus qu'un tas de décombres, la figure cireuse, les chaussures délacées et les ongles rongés. Il vacille de sommeil.

Zine lui relève le menton.

— T'endors pas, mon gars.

— Ne me touche pas, remue le fugitif. Ne pose pas ta sale patte sur moi. Je connais mes droits.

— Tu n'en as qu'un seul, lui dit Guerd : celui de garder le silence sur le mauvais quart d'heure que tu vas passer.

De nouveau, le mobile de la commissaire vibre. C'est un sms signé Sonia : « Si tu ne rappliques pas tout de suite, je me tue. » Nora panique. Elle confie à Guerd la poursuite de l'interrogatoire et s'empresse de quitter les lieux.

Le lieutenant est ravi d'être à la barre. Priant l'inspecteur de ne pas intervenir et de le laisser conduire l'entretien à sa guise, il commence par enlever sa veste qu'il suspend au dossier de la chaise, retrousse ses manches sur ses bras de chimpanzé, fait craquer son cou à la manière des boxeurs et, arc-bouté contre la table, il se penche dangereusement sur l'ancien voiturier :

— Je te conseille de coopérer, mon mignon. Avec moi, les macchabées ne reposent guère. Je veux tout savoir et je le saurai, même si je suis forcé de sortir ta cervelle de sa boîte et de l'émincer tranche par tranche pour voir ce qu'elle cache.

— Je vous ai dit...

Guerd le gifle si fort qu'il manque de l'assommer.

— N'essaye pas de gagner du temps, Cendrillon. Ce n'est pas à ton avantage. Je suis prêt à te cuisiner toute la semaine et la semaine d'après. J'ai rien à perdre, moi. Mais toi, tu perdras tes dents, tes facultés, ensuite la face puisque tu m'auras tout avoué. Alors, on cause entre gens civilisés ou bien je cogne jusqu'à t'aplatir comme une crêpe ?

— Je porterai plainte, menace Mourad, la bouche ensanglantée.

— Je t'apporterai moi-même le formulaire, si tu y tiens. En attendant, explique-moi pourquoi tu nous as menés en bateau. Je n'ai pas le pied marin... Tu as dit que tu avais quitté Nedjma la veille du casting, or c'est toi qui l'as poussée dans le 4 × 4 venu la chercher le lendemain à la sortie de la fac.

Mourad cesse de s'essuyer la bouche. Quelque chose a frémi dans son regard. Le lieutenant comprend qu'il a mis le doigt sur la bonne touche. Il revient à la charge :

— Ne t'avise pas de nier. Les caméras de surveillance à l'entrée de la fac t'ont filmé, ment-il. On te voit avec Nedjma. On voit arriver un 4 × 4. Et on te voit embrasser ta fiancée sur les joues, lui ouvrir la portière et la pousser gentiment à bord.

Mourad ne respire plus.

— Je t'en bouche un coin, pas vrai ?

— Cette histoire n'est pas la mienne.

— Ce n'est pas une histoire, c'est un roman de gare. Tu t'es fiancé combien de fois et qu'as-tu fait des élues de ton cœur ? Tu les maquais en douce ? Tu les traînais dans les grands hôtels pour marchander leur virginité, c'est ça ?

— Qui vous a raconté ces salades ?

— Devine ?

— C'n'est pas difficile. Amina est mythomane. Elle m'en veut parce que j'ai choisi d'épouser sa meilleure amie et pas elle. Amina était ma copine, avant. Elle n'aurait pas dû me présenter Nedjma. Le coup de foudre l'a disqualifiée d'office. Elle a cherché à monter Nedjma contre moi pour me récupérer. Ça n'a pas fonctionné. Ça ne pouvait pas fonctionner. Nedjma et moi étions faits l'un pour l'autre. Amina est capable de n'importe quel ragot pour me compromettre.

Guerd est content d'entendre ce volet de l'histoire ; il se tourne vers Zine, l'air de lui susurrer : *Tu vois ? Qu'est-ce que je te disais ?*

— Il n'y a pas qu'Amina, dit l'inspecteur. Sa version concorde à la virgule près avec celle de Nabila, ton ancienne fiancée.

— On est allés la voir, renchérit Guerd, pressé de reprendre les choses en main. Elle nous a raconté la même chose, que tu maquais tes petites amies et que t'as pas plus de scrupules qu'un élu de la République... Alors ?

— Alors quoi ?

Guerd amorce son direct, le suspect s'abrite derrière ses poignets menottés.

— Tu as peur que je t'arrange le portrait ? C'est ton fonds de commerce ? Tu n'as que ça pour hypnotiser les souris, petit serpent de merde. Si tu tiens à la garder intacte, ta belle frimousse d'enfoiré, évite de l'exposer.

Mourad cède. Aussi facilement qu'une porte déverrouillée. Il passe les mains sur son visage, horrifié par le sang sur ses doigts, respire, pèse le pour et le contre avant de crever l'abcès :

— Et puis basta ! Qu'on en finisse... Je veux rentrer chez moi.

— Ma voiture est à ta disposition. Plus vite tu accouches, plus vite t'es parti.

Mourad réfléchit encore et encore, puis, la voix souterraine, comme s'il soliloquait, il déballe :

— C'était son idée à elle. Nedjma ne parlait que de films, de Cannes et des festivals. Une obsession. Je lui conseillais de terminer ses études. Elle me répondait qu'en Algérie les diplômes sont aussi foireux que les tickets de tombola, que les études étaient une perte de temps. Elle n'avait pas tort. Je suis bac + 5 et je trime comme voiturier pour un salaire de misère. Mais je l'aimais. J'ai dû faire pas mal de concessions pour la garder. Elle rêvait d'une belle carrière qui la vengerait de son HLM. Elle m'aurait marché sur le corps si je m'étais mis en travers de son chemin...

— Abrège, s'il te plaît. Parle-nous du casting.

— Bob vient souvent au Corsaire.

— Bob ? C'est un Américain ?

— Non, un gars de chez nous. Un soir que je rangeais sa bagnole, il s'est approché de moi. Il m'a demandé qui était la fille qui flirtait avec moi. Je lui ai dit que c'était ma fiancée. Il m'a demandé ce qu'elle faisait. J'ai répondu « étudiante à Ben Aknoun ». Il a dit qu'il la trouvait sublime. Je lui ai dit merci. Et c'est lui qui a commencé à me parler de sa boîte de production et de ses projets faramineux. Je lui ai dit que ma fiancée ne serait pas intéressée et que je ne souhaitais pas qu'elle fasse du cinéma. Ça s'est arrêté là. Deux jours après, Nedjma m'a appris qu'un producteur était venu à la fac lui parler d'une série télévisée en préparation. Elle était surexcitée. Lorsqu'elle m'a demandé si c'était moi qui avais parlé d'elle au producteur, je ne sais pas pourquoi j'ai dit oui. Peut-être parce qu'elle était aux anges et qu'elle m'aurait adoré un peu plus. Les choses se sont mises en place d'elles-mêmes. Bob est revenu plusieurs fois nous relancer tous les deux. Il agitait un scénario de sitcom sous le nez de Nedjma. Nedjma voulait le lire. Bob refusait de dévoiler l'intrigue. Il m'a promis que c'était une série de divertissement pour le ramadan, pas de scènes compromettantes, rien que de la bonne humeur. Nedjma était sur un tapis volant. Impossible de la redescendre sur terre. Elle demandait tout le temps quand commencerait le casting.

— Et Bob est passé la prendre à la fac.

— Que pouvais-je faire d'autre ?

— Tu as le nom de la boîte de production ?

— Non.

— Bob n'a pas laissé sa carte de visite ?

— Non.

— Ni un numéro de téléphone où le contacter ?

— Il avait celui de Nedjma. C'est lui qui appelait.

— Et tu as laissé partir ta fiancée avec un inconnu ?

— Ce n'était pas un inconnu. Il est client au Corsaire. C'est vrai qu'il a une gueule de troglodyte, mais il me filait des pourboires gros comme des bourses d'études. Il est plein aux as, il roule tantôt en Touareg, tantôt en limousine, et s'amène au resto avec chaque fois un canon différent, des blondes, des brunes, des rouquines, toutes jeunes et belles. À croire qu'il les collectionnait. C'était, pour moi, la preuve qu'il était dans le cinéma. Il n'y a que ces gens qui se permettent des harems renouvelables.

— Décris-nous un peu ce Bob.

— C'est une armoire à glace avec une balafre sur le menton. Dans les un mètre quatre-vingt-quinze. Le crâne rasé avec une queue-de-cheval. Il porte un piercing en diamant à l'oreille gauche. Pas très cultivé.

— Est-il retourné au Corsaire depuis ce fameux casting ?

— Non.

— Tu n'as pas cherché à le retrouver ?

— Je ne sais pas où il habite.

— Il ne t'est pas venu à l'idée de saisir la police après la disparition de ta fiancée ? lui demande Zine.

Mourad ne répond pas. Il baisse la tête ; ses épaules se mettent à tressauter : il sanglote doucement.

Mourad Hérat est relâché le lundi matin avec interdiction de quitter la ville.

Le même jour, dans la soirée, on le trouve pendu dans une chambre d'hôtel pouilleuse en banlieue algéroise, une lettre expliquant son geste sur la table de chevet : « Nedjma partie, pourquoi rester ? Elle était tout pour moi. Rien sur cette Terre ne me retient. Je demande pardon à ma mère, à mon père, à la famille Sadek et à tous ceux qui m'aiment. Mourad. »

22.

Sid-Ahmed surveille sa ligne, accroupi sur un rocher, un chapeau de paille enfoncé jusqu'aux oreilles, un mégot éteint au coin de la bouche. Devant lui, la mer est si plate qu'on pourrait pratiquer du patinage artistique dessus. Une colonne de nuages effrangés s'escrime à fausser la limpidité du ciel, immobile et têtue, tandis que le soleil de janvier tient à distance le froid de la saison. Il est des jours comme ça qui donnent envie de prendre sa canne à pêche et de communier avec le silence ambiant. On se focalise sur le bouchon comme sur une idée fixe et on prie intérieurement pour qu'aucun poisson ne vienne mordre à l'hameçon. Un remous, et la quiétude du moment est profanée. En Algérie, on appelle ces instants « l'heure du Gosto ». On est bien, rendu en entier à son élément, seul au monde et jaloux de l'être, et on n'est là pour personne.

Des pas crissent sur le raidillon. Sid-Ahmed ne se retourne pas. Il sait que c'est l'inspecteur qui revient. Hormis Zine, qui lui rendrait visite ?

— J'espère que tu as éteint ton portable, poulet.

— Et comment ! Je t'ai apporté des merguez et des rognons blancs.

— Ça tombe pile-poil. J'ai rien sorti de la flotte, aujourd'hui.

— Le poisson est peut-être occupé à bouffer les émigrants clandestins échoués au large.

Zine va déposer ses provisions dans le taudis. Il est frappé d'entrée par ce qu'il constate. La dernière fois, il n'y avait qu'une sorte de citation écrite avec un morceau de charbon sur une paroi. Maintenant, l'ensemble des murs est sillonné de fragments de textes, de vers, d'adages tracés à la craie ou bien avec des bouts de ferraille, tous enchevêtrés dans une toile tourmentée.

— Qu'est-ce qui se passe ? demande l'inspecteur en rejoignant son ami. L'inspiration t'est revenue ou est-ce toi qui te noies dans ton délire ?

— Je me défoule.

— Pas sur les murs de ta propre piaule, Sid. On dirait les chiottes de la gare.

— Si ça m'amuse ?

Zine perçoit la mauvaise humeur de son ami sourdre derrière son laconisme. Il décide de ne pas envenimer l'atmosphère et se propose de se charger des grillades.

Après avoir éructé comme des troufions rassasiés, les deux amis s'étendent sur les chaises en toile, fument un pétard et se préparent à se taire pour s'écouter vivre. Ça a toujours été ainsi. Le papotage n'est pas leur tasse de thé ; ils ont épuisé l'ensemble des sujets du temps où ils partageaient la même chambre à l'asile psychiatrique.

Le soleil est à son zénith. Le piaillement des mouettes communie avec le clapotis du rocher. Les conditions sont réunies pour piquer un somme bien mérité.

Sid-Ahmed ne semble pas près de sauter dans les bras de Morphée. Tout à l'heure, pendant le repas, il a parlé tout seul. À deux reprises. La première fois, en adressant un bras d'honneur à son ombre ; la seconde, en esquissant un petit geste de la main comme pour chasser une mouche. Zine se demande s'il a choisi le bon jour pour débarquer à l'improviste. Il a l'impression d'être de trop. Il aurait aimé s'annoncer avant. Comment ? Sid ne dispose ni de téléphone, ni de télé, ni de radio. À l'exception d'un vieux frigo rouillé et d'un poêle antédiluvien, l'ancien journaliste vit à l'âge de pierre, reclus dans sa bicoque, totalement coupé de la civilisation. C'est peut-être ce mode d'existence qui attire l'inspecteur à Fouka. Zine étouffe à Alger. Depuis qu'on l'a extrait de son cagibi où il se contentait d'archiver la paperasse et de signer le registre des permanences, il a perdu un peu ses repères. Le travail externe est passionnant, sauf qu'il mobilise plus qu'il ne délivre. Zine a passé la nuit à rôdailler autour du Corsaire dans l'espoir d'entrevoir une armoire à glace avec une cicatrice sur le menton et un piercing en diamant à l'oreille, en vain. Avant-hier, il avait assisté la police scientifique dans la chambre d'hôtel où Mourad Hérat s'était donné la mort. Ce matin, il s'est levé du mauvais pied. Au bureau, il a failli en venir aux mains avec le lieutenant Guerd qui lui avait sorti une sordide réflexion sur sa relation avec Nora.

Sans demander d'autorisation, Zine a sauté dans son tacot et mis le cap sur Fouka...

Apparemment, il s'est trompé de retraite.

Sid-Ahmed est distant, voire fuyant, pis : embêté. C'est vrai, il lui arrivait fréquemment de traverser des passages à vide ; il s'enfermait dans un mutisme tombal du matin au soir sans prêter attention à son visiteur. Zine ne lui en tenait pas rigueur. Il comprenait. Les deux hommes se connaissent depuis plus d'une décennie et ont appris à s'accepter tels qu'ils sont. Mais aujourd'hui, Sid-Ahmed présente un autre profil. Il est plus que blasé, il est démissionnaire et paraît catapulté aux antipodes, absorbé par de noires pensées.

— Pourquoi ne viendrais-tu pas chez moi pour quelques jours ? lui propose l'inspecteur.

— Trop de bruit.

— Tu retrouverais tes anciens camarades de radio.

— Pour se dire quoi ?

— Un tas de choses.

— Je suis bien là où je suis.

Silence.

Puis Sid-Ahmed :

— *Qu'attendent les singes pour devenir des hommes ?*

— Pardon ?

— Je ne me rappelle pas où j'ai lu ça. *Qu'attendent les singes pour devenir des hommes*. Cette phrase tourne en boucle dans ma tête depuis des semaines. Elle squatte littéralement mon esprit. Je dors avec, me lève avec. Même dans mon sommeil, elle continue de m'obséder.

— C'est parce que tu gamberges trop. Tu devrais reprendre du service pour consumer ton hyperactivité intellectuelle. Je suis certain qu'on t'accueillerait en prophète à la Chaîne 3. Tu nous concocterais une superbe émission littéraire et nos soirées seraient moins barbantes.

Sid-Ahmed se redresse pour cracher au loin, retombe sur le dossier de son siège. Son regard rappelle celui d'un boxeur jeté au tapis.

Il s'enquiert :

— Qu'est devenu Rahal Zoubir ?

— Qui ?

— Rahal Zoubir... C'était un musicien hors pair. Mon idole. Depuis qu'il s'est retiré de la chanson, j'ai du mal à entrer dans les poèmes que j'aimais. Que lui est-il arrivé ? Dans quel tiroir l'a-t-on enfermé ? Est-il vivant ou sous terre ?

— Jamais entendu parler de lui.

— Normal. On nous cache toutes les belles choses dans ce pays. On a réduit nos aires de jeux à des peaux de chagrin, limité la portée de nos cris au contour de nos lèvres et fait de nos vœux pieux des oraisons funèbres. Les fossoyeurs de nos rêves nous ont confisqué jusqu'à nos prières. On est là, légumes au soleil, et on attend, qui la mort, qui la folie, qui les deux à la fois. Nos jeunes ne savent pas à quoi ressemble un touriste ou un cinoche, nos vieux oublient ce qu'ils ont été, notre patrie est sous scellés et nos espoirs cloués au pilori. Un singe dans sa cage affiche plus de contenance que nous sur une plage.

— Ton disque est rayé, Sid.

— C'est le seul qui me reste.

— Tu n'es pas obligé de l'écouter.

— J'écouterais quoi d'autre ?

— Le bruit des vagues, le chant des oiseaux, le rire des enfants.

— Ça ne me rappelle rien, Zine. Je ne sais même pas reconnaître Mozart dans la cacophonie de nos jours.

Sid est au creux de la vague, pense Zine. Sa voix est une fracture ouverte. Une toxine vorace est en train de lui ravager l'esprit.

Silence.

— C'est comment, le rire des enfants, inspecteur ?
— C'est beau.
— C'est quoi, la beauté ?
— Ce qui nous sauve de nous-mêmes.
Sid-Ahmed se trémousse sur sa chaise. Il n'est que soupirs et gestes excédés.
— Dans ce cas, pourquoi tu n'en fais pas, des enfants, poulet ?
— Il me suffit d'ouvrir ma fenêtre. Tous les mioches de mon quartier sont un peu les miens.
— Tu ne comptes toujours pas prendre femme ?
— Je n'y pense même pas.
— Tu devrais. La solitude est une chambre froide. On n'y puise qu'amertume. Tu as un appartement, une caisse et un boulot.
— Je n'aime pas parler de ça.
— Tu as un problème ?
Zine se raidit.
Sid-Ahmed feint de se gratter le menton. Il s'en veut d'avoir poussé le bouchon trop loin, guette la réaction de son ami. De son côté, Zine se demande si le veuf ne chercherait pas à le chasser. L'indiscrétion est parfois une forme moins frontale de la provocation.
L'inspecteur décide de savoir où Sid veut en venir. Il avoue, sans tergiverser :
— Ouais, j'ai un problème.
L'ancien journaliste acquiesce.
Cette fois, le silence se prolonge dans une gêne abyssale.
Sid allume un deuxième joint, tire trois bouffées appuyées et passe le relais à son compagnon.
— Une femme, c'est essentiel, dit-il.
— ...

— Elle est le garde-fou par excellence.

— ...

— Ah ! Si j'avais écouté la mienne...

— ...

— Il faut être attentif à ce que dit une femme. Surtout lorsqu'elle baisse le ton après que ses cris ont échoué à se faire entendre. La femme ne parle pas, elle nous instruit. Si tu loupes un seul de ses mots, ton histoire est fichue.

Zine est sidéré. C'est la première fois que le journaliste se laisse aller aux confidences. Zine n'aime pas ça. Cette « volubilité » subite a un accent troublant ; elle résonne tel un mauvais présage.

— J'avais une femme qui m'aimait, poursuit Sid-Ahmed. Je pensais que c'était la moindre des choses. J'étais son homme, n'est-ce pas ? Sa raison d'être et sa vocation. Lorsqu'elle me bichonnait, j'étais persuadé qu'elle ne faisait que me mériter un peu plus. Elle me devait tout, ses joies, sa fierté, son statut social, sa carrière, jusqu'à ses fantasmes les plus secrets. Elle était tellement à moi qu'elle serait tombée raide morte si j'avais retenu ma respiration deux minutes d'affilée. Enfin, c'est ce qu'il me semblait... Et un jour, elle m'a claqué la porte au nez et je me suis rendu compte que sans elle je ne valais pas un radis...

— Pourquoi ce déballage, Sid ?

Sid est ailleurs ; il n'écoute que lui-même :

— L'amour est partage, Zine. Celui qui le vit à moitié ou qui, comme moi, le considère comme un fait accompli perdrait au change plus qu'il ne possède. Le monde d'un coup lui tournerait le dos et il ne verrait plus les choses de la même façon. Il passerait le restant de ses jours à attendre la nuit pour se voiler la face et plus aucune lumière ne s'étendrait jusqu'à lui.

— Hé ! Tu es sûr que ça va ?

— Ça va comme ça vient, poulet.

Zine se hisse sur un coude pour dévisager son ami.

— Tu me fais flipper.

— Tu as ton flingue sur toi. Si tu vois que je constitue une menace, abats-moi. Je dirai au bon Dieu que tu as agi en légitime défense.

— Je suis sérieux.

— Il ne faut pas. Il n'y a rien de sérieux sur Terre.

Il reprend son joint, le tète fortement et se cale dans sa chaise.

— Je t'ai raconté pourquoi Leila m'a claqué la porte au nez ?

— Tu me raconteras un autre jour, Sid.

— Nul ne sait de quoi demain sera fait.

— Arrête tes conneries.

— J'étais rentré bourré comme une vache, ce soir-là. Il était 3 ou 4 heures du matin. Leila m'attendait dans le vestibule, folle de rage. « Tu es menacé de mort par les barbus et tu oses encore traîner dehors à des heures impossibles », qu'elle me tançait, Leila. C'était comme ça toutes les nuits. Moi, je m'en tapais d'être canardé ou égorgé. Je voulais vivre normalement. Et toutes les nuits, tenue en alerte, Leila se faisait un sang d'encre dans le salon en priant pour que je rentre sain et sauf. Elle m'accueillait avec une colère désespérée. Je lui riais au nez et je tombais dans le lit tout habillé. Ça durait depuis des mois et des mois. Je ne m'en rendais pas compte. Je ne mesurais pas combien Leila avait maigri ni pourquoi son beau visage s'était détérioré... Et une nuit, parfaitement identique aux nuits d'avant, Leila a craqué. Elle m'attendait cette fois dans le vestibule, deux valises bouclées au bout des bras. « Je n'en peux plus », m'a-t-elle hurlé au visage. Je lui ai dit : « À quoi tu joues ? » Elle m'a répondu qu'elle se barrait, qu'elle refusait de crever d'angoisse pendant que je glandais dans les troquets... Et tu sais comment j'ai réagi, Zine ? Comment j'ai traité mon épouse qui avait tellement peur pour moi ? Tu sais comment j'ai remis à sa place Mme Leila Brahmi, brillante avocate au barreau d'Alger, qui a accepté de partager la vie d'un soûlard insomniaque et imprudent ?... Je l'ai giflée !... Paf ! Je l'ai frappée si fort qu'elle est tombée par terre. Ouais, Zine. J'étais touché dans mon amour-propre, paraît-il. « Tu veux rompre avec moi ? que je lui ai craché à la figure. Qui t'en empêche ? Allez, fous le camp, dégage, retourne chez ta mère et ne t'avise pas de revenir te jeter à mes pieds pour demander pardon... » Ouais, Zine, j'ai foutu ma femme à la rue à 4 heures du matin. En plein couvre-feu. Je lui avais poché un œil et éclaté la lèvre et j'avais même cherché à lui botter le derrière pendant qu'elle sortait sur le palier. Je gueulais pour que tous les voisins m'entendent, pour que le monde entier sache que le patron, à la maison, c'était bibi... J'étais encore couché en travers de mon lit quand on est venu frapper à ma porte. J'ai mis un siècle à ouvrir. C'était la police. Elle m'apportait les deux valises de ma femme. « Nous avons une terrible nouvelle à vous annoncer, monsieur Brahmi », a dit un agent. Je n'ai pas saisi sur-le-champ ce qu'il me racontait tellement j'étais soûl... Leila venait d'être abattue par un gamin endoctriné à deux cents mètres de chez moi. Elle attendait un taxi pour se rendre chez sa mère.

23.

Le rapport du médecin légiste est sans appel : il ne s'agit pas d'un suicide. Mourad Hérat a été tué avant d'être pendu. Quelqu'un, doté d'une force herculéenne, lui aurait pris le menton et l'arrière du crâne entre les mains et tourné d'un coup sec la tête de la droite vers la gauche. Les deuxième et troisième vertèbres cervicales ont été brisées net. Sur la radio, on les voit clairement déboîtées vers la gauche ; la pendaison n'a fait que les tasser, prononçant ainsi leur décalage.

Nora remet le rapport dans son enveloppe, pose un doigt sur sa lèvre pour réfléchir.

— Je savais qu'il fallait le garder un jour ou deux, soupire-t-elle. Il aurait fini par cracher le morceau et nous n'aurions pas un deuxième meurtre sur les bras.

Zine se gratte derrière l'oreille, embarrassé.

Le téléphone sonne sur le bureau de la commissaire. C'est Guerd. Nora le branche sur haut-parleur :

— J'ai sous les yeux une Touareg, annonce le lieutenant.

— J'en ai croisé quatre ce matin entre le tunnel de la faculté et le Central, lui rétorque Nora.

— Il y a des éraflures autour des feux arrière droits

sur celui-là. Et les feux semblent avoir été changés récemment.

— Ce n'est pas une preuve.

— Et si je vous disais que le chauffeur est une armoire à glace avec un piercing à l'oreille ?

— Dans ce cas, on arrive ! Tu es où ?

— Au Sofitel.

Nora bondit de sa chaise, s'empare de sa veste et fonce sur le couloir. Zine doit courir pour la rattraper.

Le 4 × 4 est rangé sur le parking VIP de l'hôtel Sofitel. Nora se penche sur les feux arrière droits. De minces égratignures attestent que le véhicule a heurté quelque chose. Les feux semblent plus récents que ceux sur le côté gauche, la teinte de leur chrome légèrement différente.

Guerd est fier de lui. Les mains sur les hanches, il jubile, certain d'avoir marqué un point. Il prie ses deux coéquipiers de le suivre à l'intérieur de l'hôtel.

— Notre homme déjeune, dit-il.

— Il est seul ?

— Avec une minette. On devrait le coffrer. La fille n'a pas seize ans.

— Chaque chose en son temps.

L'armoire à glace occupe une table au fond du restaurant, en compagnie d'une gamine fardée à outrance. Il gloutonne et cause à la fois, voûté sur son assiette. C'est un colosse qui, assis, atteint presque l'épaule du serveur debout à côté de lui. De dos, on ne voit que sa nuque qu'étagent trois bourrelets gros comme du boudin et que tempère une queue-de-cheval tressée. Son dos évoque un muret d'équitation sur un parcours d'obstacles. Une boucle scintille à son oreille.

Les trois policiers restent en retrait, derrière le parapet de l'accueil, à observer discrètement le suspect. Soudain, ce dernier se retourne pour faire signe au serveur, et Nora reçoit une ruade dans la poitrine. Elle vient de reconnaître le malabar : c'est l'androïde aperçu l'autre jour au pavillon 32. Zine l'a identifié, lui aussi.

— Qu'est-ce qui se passe ? fait Guerd, susceptible. J'ai encore gaffé ?

— Au contraire, le rassure la commissaire. Ce gars, on l'a déjà croisé dans la résidence secondaire de Saad Hamerlaine.

Le lieutenant défronce les sourcils :

— Rien que ça !... Je préférerais m'électrocuter sur un câble de haute tension plutôt que caresser ce genre de passe-droit dans le sens du poil.

— Tu n'as qu'à enfiler des gants, lui suggère Zine.

— Qu'est-ce qu'on fait ? s'impatiente Guerd, agacé par la perplexité de ses deux compagnons. On se défile sur la pointe des pieds ou bien on lui lèche les bottes, au yéti ?

— Tranquille, Guerd, tranquille, lui recommande la commissaire. Les balèzes de ce type, ça prolifère chez nous. Rien n'indique que c'est notre homme. Alors, pas de fausse manœuvre.

— J'ai pas peur, moi, dit Guerd. Laissez-moi opérer. On verra bien.

Nora n'a pas le temps de retenir le lieutenant par le bras ; Guerd traverse rapidement une rangée de tables, se campe devant celle du malabar :

— Bob ? s'exclame-t-il, les bras ouverts dans un geste théâtral. C'est pas vrai, Bob à Alger ? Qu'est-ce que tu fiches par ici, mon beau salaud ? Tu en as eu marre de Los Angeles ?

Le colosse pivote lentement, outré d'être dérangé au beau milieu d'un festin, toise l'intrus de la tête aux pieds :

— On t'a laissé entrer au Sofitel avec cet accoutrement de clown ? grogne-t-il, la bouche pleine.

— Le gardien est mort de rire en me voyant arriver. Je n'ai eu qu'à l'enjamber.

Le colosse s'essuie dans une serviette, dévisage son interlocuteur ; il n'arrive pas à croire que l'on puisse gâcher son bon plaisir alors qu'il est en galante compagnie. Il gronde :

— Tu devrais te décontaminer d'abord avant de venir emmerder les gens, kho. D'ailleurs, tu ne devrais pas être là. C'est pas un endroit pour toi, ici.

— Désolé, Bob, je ne voulais pas t'offenser.

— Pourquoi tu m'appelles Bob ? J'suis pas Bob. On se connaît ?

— Tu ne me remets pas ?

— Tu ne tiendrais pas en place. T'es qui ?

— On a été au collège, tous les deux.

— Tu t'goures, kho. J'ai jamais été à l'école. J'suis né savant, moi. Lorsque ma mère me donnait le sein, rien qu'au goût, je connaissais l'exacte composition de son lait. Casse-toi avant que je te casse en deux. Tu vois pas que je suis occupé ?

— Arrête, Bob. Tu ne vas pas me faire croire que tu ne te souviens pas de moi ?

— À ta place, je me ferais vite oublier, tête de lard.

— C'est parce que tu as réussi dans la vie que tu ne reconnais plus tes anciens potes, Bob ?

Le colosse bondit sur ses jambes, attrape le lieutenant par la gorge et le soulève de dix centimètres.

— Appelle-moi encore une fois Bob et il te faudra un tube pour avaler ta soupe, fouille-merde.

Il le relâche, somme sa compagne de débarrasser le plancher. En quittant la table, il interpelle au passage le gérant du restaurant alerté par un employé et venu calmer la situation :

— Je croyais l'endroit sélect.

— Je suis navré, monsieur, se confond en excuses le gérant.

— C'est ça, grogne le colosse. La prochaine fois, mettez un pit-bull à l'accueil au lieu d'ouvrir l'établissement aux clodos. Je suis allergique à la puanteur.

Sur ce, il saisit la gamine par le coude et la pousse devant lui.

— Ne touchez à rien, commande Nora au serveur après le départ du colosse.

Elle ramasse les bouts de cigarette dans le cendrier, la serviette avec laquelle le colosse s'est essuyé la bouche, ainsi que la cuillère, la fourchette et le couteau, met le tout dans la nappe et en fait un petit balluchon. Le gérant, le serveur et les clients attablés autour sont sidérés par le comportement de la commissaire. « Quelle impudence ! », s'indigne en français une vieille pie peinturlurée.

Nora se penche sur l'oreille du gérant et lui confie :

— C'est pour les désinfecter.

Les trois policiers quittent le restaurant.

Sur le parking, le 4 × 4 a disparu.

Nora serre son balluchon contre elle en s'installant dans la voiture de service. Elle ordonne à Zine de la conduire directement au labo de la Criminelle.

— On va comparer les traces d'ADN relevées sur le drap trouvé à Baïnem et celles contenues sur les cigarettes et les ustensiles récupérés au resto. De cette façon, on sera fixés.

— Allez-y, dit Guerd. Je vous rejoins. J'ai deux questions à poser au gérant.

— Excellente idée, lui lance Zine, heureux de se débarrasser de lui.

Le lieutenant Guerd charge une connaissance au labo de la police scientifique de l'avertir dès que le rapport des analyses sera près. Il est donc le premier à intercepter le document en question. Il en tire une photocopie qu'il remet en main propre à Ed Dayem avant de porter l'original au divisionnaire pour lui prouver combien il prend à cœur l'enquête pendant que les *autres* concernés passent leur temps à flemmarder. Toutefois, il ne s'attendait guère à la réaction disproportionnée du divisionnaire. Ce dernier a manqué de s'évanouir lorsqu'il a fini de lire le rapport. Les traces d'ADN relevées sur le drap ayant enveloppé le corps de Nedjma Sadek dans les bois de Baïnem sont identiques à celles trouvées sur les cigarettes laissées par le malabar au restaurant du Sofitel.

— Nom de Dieu ! s'écrie le divisionnaire. Ce n'est pas une tuile mais le ciel en entier qui va nous tomber sur la tête.

Il desserre le nœud de sa cravate, extirpe un mouchoir, s'éponge dedans, la figure cramoisie, les yeux aux abois.

— Le malabar dont parle Nora est le chauffeur attitré de haj Hamerlaine.

— C'est grave ? fait le lieutenant, loin de mesurer l'étendue du désastre.

Le divisionnaire avale d'une traite le verre d'eau posé sur son bureau, se remet à s'essuyer le front, les tempes et sous le menton avec son mouchoir. Jamais Guerd ne l'avait vu dans un état pareil.

— Appelle la commissaire, halète le divisionnaire, incapable de se saisir lui-même du combiné. Qu'elle rapplique ici fissa.

Nora trouve son supérieur sur le point de succomber à un infarctus. C'est le lieutenant qui lui explique la situation.

— Et alors ? dit la commissaire. Si le rapport le confond, on n'a qu'à aller le cueillir, ce gros tas de muscles.

— Il fait partie de la garde prétorienne de haj Hamerlaine, gémit le supérieur.

— La loi vaut pour tout le monde, lui rappelle Nora. Chacun en prend pour son grade. On applique la procédure, point à la ligne. Chauffeur d'un nabab ou fils d'un cheminot, c'est du pareil au même.

— Et si on se trompait ?

— Les analyses sont catégoriques, patron.

— Il y a sûrement une erreur.

— Dans ce cas, on lyncherait l'ensemble du personnel du labo sur la place publique pour nous excuser auprès du tsar.

— Je n'arrive pas à croire que le chauffeur de Hamerlaine soit mêlé à un meurtre, chevrote le divisionnaire.

— Peut-être à deux meurtres. Nous avons aussi le cadavre de Mourad Hérat sur les bras, et il ne pèse pas moins lourd. Je veux un mandat, et je le veux maintenant avant que l'affaire s'ébruite.

— Il n'est pas question d'en parler à qui que ce soit, se réveille soudain le supérieur. Cette histoire doit rester ici, dans mon bureau, jusqu'à ce qu'elle soit tirée au clair, compris ?

— Le mandat, chef, insiste Nora sur un ton péremptoire.

Le vieux gardien du pavillon 32 s'amène cahin-caha, son chien devant lui. Il n'a pas l'air de reconnaître les deux flics venus trois semaines plus tôt sonner à la porte. Sans s'approcher de la grille, il se contente de déclarer aux visiteurs qu'ils se trompent d'adresse. Nora exhibe le mandat. Le vieillard hausse les épaules :

— J'sais pas lire, madame.

— On cherche Boualem Zater.

— Je n'ai pas le droit de parler à des inconnus.

— On est de la police, rugit Guerd. T'es bouché ou quoi ?

Le vieillard se retire en traînant la savate, son chien au bout de la laisse. Une minute plus tard, le jeune homme fringant qui se faisait appeler Réyan Baz et qui se disait responsable de la résidence arrive à son tour. Il ôte ses lunettes fumées, reluque les trois flics alignés derrière la grille, visiblement agacé :

— M. Hamerlaine ne vient ici qu'en été, et on est en janvier. Si vous voulez lui parler, adressez-vous au 62, allée des Promeneurs, à Hydra.

— On peut entrer ?

— C'est une propriété privée.

— On est de...

— Je sais qui vous êtes. Il y a une caméra juste au-dessus de vos têtes. Mais j'ai ordre de ne laisser personne franchir le seuil de la résidence.

— On veut parler au chauffeur de M. Hamerlaine.

— Lequel ? Il en a une douzaine.

— Boualem Zater.

— C'est pas de chance, il est parti en mission à Annaba.

— Vous avez une adresse où le contacter ?

— Non.

— Il rentre quand ?

— Quand il aura fini de... Je peux savoir ce que vous lui voulez ?

— Non, lui crie Guerd.

— Couché ! lui rétorque froidement le jeune homme.

Nora prie le lieutenant de se calmer. Elle tend sa carte de visite à travers les barreaux du portail :

— Je compte sur vous pour m'appeler dès que le chauffeur sera de retour.

— Je ne suis pas autorisé à communiquer ce genre d'information. L'autre jour, je vous ai expliqué pourquoi il ne faut pas débarquer au pavillon 32 sans aviser votre hiérarchie.

— Nous avons un mandat d'amener.

— C'est juste un bout de papier, commissaire. Ça ne marche pas à un certain niveau... (Il s'apprête à se retirer, se ravise, se tourne vers la commissaire.) Que reproche-t-on à Boualem ?

Les trois flics ont déjà regagné leur véhicule.

Le jeune homme attend de voir partir la voiture de police avant de s'enfermer dans le box du gardien. Il somme ce dernier d'aller se faire voir ailleurs, s'empare d'un téléphone mural, compose un numéro. À la première sonnerie, on décroche. Réyan Baz n'a pas le temps de placer un mot. Une voix claque au bout du fil : « Je suis au courant. Briefing dans une heure. »

Et on raccroche.

24.

Il est 23 heures passées. Une grosse cylindrée de marque française se présente devant la grille du pavillon 32. Le portail coulisse comme sur du beurre ; la voiture entre dans la résidence. Au volant, un homme grand aux tempes grisonnantes. C'est Kader Kacimi, l'époux de Joher. Dans les hautes sphères, on le surnomme « l'Ex » (ex-consul, ex-commissaire politique, ex-wali, ex-ambassadeur...) ; d'autres, plus avertis, l'appellent « l'intermittent du lit conjugal ».

Il se gare dans une courette, éteint les phares, met pied à terre et laisse son regard surfer sur le vaste jardin avant d'envelopper la somptueuse demeure au bas de l'escalier. Le vent de la nuit, embaumé de senteurs aquatiques, lui rafraîchit le visage. L'homme est pensif. Il ignore pourquoi on l'a convoqué.

Il dévale les marches, enserré dans un pardessus, les mains dans les poches. La porte de la résidence s'écarte devant lui. Réyan Baz est à l'accueil.

— Bonsoir, monsieur Kacimi...

— Bonsoir, Réyan.

Ils entrent dans un immense salon meublé avec goût ; tableaux de maîtres sur les murs, tapis Boukhara au sol, commodes pansues dans les alcôves, piano à queue sur l'estrade marbrée.

— Il n'y a personne, ici ?

— Il y a moi, dit Réyan, et deux employés.

— Je croyais qu'on me conviait à une réception, fait Kacimi mal à l'aise.

— C'est peut-être vous qui allez nous l'offrir, la réception, monsieur le sénateur.

— Je crains que mes chances d'occuper ce poste ne se soient envolées.

— Détrompez-vous, cher ami. Je n'ai pas le droit de vous l'annoncer, mais vous êtes sur la liste du tiers présidentiel. C'est la raison pour laquelle vous êtes ici.

Kacimi tente de prendre la nouvelle avec de la hauteur, mais son visage le trahit : il exulte de bonheur.

— Je vais téléphoner à M. Hamerlaine pour l'informer que vous êtes là, dit Réyan Baz. Auriez-vous l'amabilité de remettre cette statuette sur la commode près de la porte, s'il vous plaît. M. Hamerlaine a horreur que l'on déplace ses bibelots.

— Bien sûr, s'exécute Kacimi en ramassant une statuette en bronze posée sur la table du salon. Je la mets où ?

— Là-bas, à côté du candélabre en ivoire.

Réyan s'assure que le visiteur a posé au bon endroit la statuette avant de disparaître par une porte dérobée. Il débouche sur une petite salle encombrée d'écrans de télésurveillance que contrôle un jeune rouquin émacié.

— Éteins-moi toutes les caméras, lui chuchote Réyan.

L'opérateur obéit.

— Maintenant, retire le disque et passe-le-moi.

L'opérateur éjecte un CD, le glisse dans une jaquette et le tend au responsable de la résidence.

— Tu ne touches à rien à partir de maintenant, Farid. Tu laisses tout en l'état.

— Et la surveillance... ?

— Ne discute pas mes ordres.

Réyan Baz empoche le CD et retourne dans le salon. Il trouve Kacimi planté comme un pieu au milieu des fauteuils blancs.

— M. Hamerlaine vous attend. Le chauffeur va vous conduire à lui.

— Où ça ?

— Je ne lui pose jamais ce genre de questions, mon ami.

Le malabar à la queue-de-cheval tressée s'amène, lourd comme une crue de boue.

— Boualem, tu vas déposer le sénateur au chalet 28. M. Hamerlaine vous y rejoindra dans une petite demi-heure.

— Je n'ai pas de voiture, ce soir.

— Ça vous ennuierait de prendre la vôtre, monsieur Kacimi ?

— Au contraire, dit Kacimi, ça m'arrangerait. Je ne serai pas obligé de revenir la chercher.

— Et moi, grogne Boualem, je rentre comment ?

— Un chauffeur te ramènera après.

Le malabar grogne de nouveau et prie Kacimi de le suivre dehors. À travers la fenêtre, Réyan Baz voit les deux hommes gravir l'escalier du jardin, monter dans la grosse cylindrée. Les phares s'allument. La voiture manœuvre sur place pour faire demi-tour, quitte la résidence et disparaît dans la nuit.

Réyan Baz file s'emparer d'un verre de vin rouge sur la table du salon et verse le contenu sur un coin de tapis près de la commode où Kacimi a posé la statuette en bronze.

— Mabrouk ! crie-t-il.

Un Noir valétudinaire se montre, drapé dans sa tunique de valet abbasside.

— Qui a sali le tapis ?

— Jé ne sais pas, monsieur, dit le larbin.

— Nettoie-moi ça. Haj Hamerlaine ne va pas tarder à arriver. Il nous lyncherait s'il trouvait une tache sur son Boukhara.

Le larbin file chercher de quoi nettoyer, revient en se dépêchant, se met à quatre pattes par-dessus la tache et commence à la frotter avec un torchon humide. Derrière lui, Réyan Baz enfile un gant en latex, s'empare de la statuette en bronze et frappe si fort que le crâne à ses pieds se fracasse comme une noix. Le valet s'écroule, la tête en bouillie ; des giclées de sang éclaboussent le tapis avant de former l'ébauche d'une flaque tout autour.

Réyan Baz vérifie que le valet est mort, récupère un pistolet muni d'un silencieux dans le tiroir de la commode et appelle l'opérateur : « Farid ! Ramène tes fesses. Le cuisinier s'est gravement blessé... » L'opérateur arrive en courant dans le salon. Deux balles le foudroient. Éberlué, il ne réalise pas tout de suite ce qui lui arrive. Quand il aperçoit les deux trous en train de rougir sur sa poitrine, il écarquille les yeux, incrédule, et tombe à plat ventre. Réyan s'approche de lui, le regarde tressauter de spasmes. « Navré, mon gars », lui dit-il avant de lui loger une balle dans la nuque.

Réyan Baz sort dans le jardin, contourne l'escalier, remonte une allée, marche d'un pas rapide vers le box du gardien, abat dans la foulée le chien qui pousse un gémissement aigu, puis le vieillard qui somnole à l'intérieur de sa guérite en verre.

Il rebrousse chemin jusqu'à un préau, monte dans une voiture, ouvre la grille à l'aide d'une télécommande et quitte la résidence en roulant sans excès.

Une heure après, il atteint un chalet au cœur d'un bosquet. Il fait nuit noire. Le ciel est colmaté de gros nuages. Une petite averse commence à tomber. Le vent fait bruire les feuillages dans un mélange de fracas et de sifflements.

Un homme poireaute à l'intérieur de l'habitation. C'est Othmane Raoui. Il est grand, osseux, le visage en lame de couteau incrustée de deux braises. Assis sur un canapé, les genoux croisés, il scrute ses ongles d'un air absorbé.

Derrière lui, le malabar à la queue-de-cheval tressée a du mal à modérer sa nervosité.

— Tu as dix minutes de retard, signale l'homme au visage en lame de couteau.

— J'ai fait aussi vite que j'ai pu... Où est Kacimi ?

— Dans la cave.

Réyan Baz descend au sous-sol. Kacimi est ligoté au fond d'une sorte de geôle barreaudée, un sparadrap sur la bouche et un rouleau de Scotch d'emballage autour des chevilles. Son regard affolé interroge le visiteur, mais n'obtient aucun signe d'un Réyan aussi inexpressif qu'une statue de sel.

Réyan monte retrouver ses deux acolytes.

— Tu as le disque de la télésurveillance ? demande l'escogriffe toujours chevillé à son canapé.

Réyan lui remet le CD.

— Quelqu'un peut-il m'expliquer ce qui se passe à la fin ? demande le malabar.

— On est en train de te torcher le cul, lui dit l'escogriffe.

— Qu'est-ce que j'ai encore fait, moi ?

— Tu as merdé grave, Bob.

— Je vois pas où.

— T'as jamais su voir où sont les choses.

— J'suis pas un demeuré, Othmane.

— T'en es bel et bien un, et le pire de tous.

L'escogriffe cesse de contempler ses ongles. Le regard qu'il lève sur le malabar est d'un noir abyssal. Il lui dit :

— Si on t'a interdit de quitter la résidence, ce n'était pas pour te faire chier, mais pour t'empêcher de merder. Et vise-moi où ton insubordination nous a menés.

— J'suis pas un eunuque, moi. J'ai le droit de tirer un coup. Et puis je suis sorti qu'une fois. Pour quelques heures.

— C'était assez pour saquer le dispositif, Bob. Tu es allé dans un resto et tu y as laissé ta carte de visite.

— J'ai pas de carte de visite.

— Ne prends pas tout au pied de la lettre, bordel !

— Quelle lettre ?

Othmane Raoui consent enfin à se lever. Il se dresse devant le malabar, aussi froid qu'un bloc de glace. Le ton tranchant, il explique :

— Des flics ont ramassé les mégots que tu as laissés au resto du Sofitel, les ont emportés au labo, les ont analysés et ont comparé les traces d'ADN avec celles trouvées sur le drap de la vierge, et ça a fait bingo !

— J'comprends que dalle à c'que tu racontes, Othmane.

— La police a réussi à t'identifier, lui précise Réyan.

— Et alors ? Je suis le chauffeur de Hamerlaine. Qui oserait porter la main sur moi... Je paie pas de contraventions et je m'arrête pas aux postes de contrôle. Ça a toujours été comme ça, non ?

— Plus maintenant. C'est la raison pour laquelle tu dois quitter le pays le temps que ça se tasse. Réyan va te conduire à Béjaïa afin que tu prennes le premier vol pour Paris, ce matin.

— Pourquoi pas à Alger ? C'est loin, Béjaïa, et je suis crevé.

— C'est plus discret, là-bas. Quelqu'un te remettra un vrai passeport avec un faux nom et ta photo dessus, un billet d'avion et un peu d'argent. À Paris, tu seras accueilli par ton frère. Tu te planqueras quelques mois à Dax. Il y a de superbes stations thermales à Dax. Ça te détendra...

— C'est si grave que ça ?

— Tu parles ! Allez, assez discuté. Réyan va te reconduire au pavillon. Tu boucles ta valise et tu te tires.

— Je...

— La ferme. Ce sont les ordres. (Il consulte sa montre.) Il te reste moins de six plombes pour être à Béjaïa. Un vol est prévu à 7 h 45. Ne le rate pas, Bob, parce que moi, je ne te raterai pas. Cassez-vous, maintenant. J'ai à m'occuper de notre bonhomme de la cave.

Bob n'a pas prononcé un traître mot sur le chemin du retour. Rigide sur le siège de droite, il fixe la route que les phares transpercent et ne bouge pas. Les choses arrivent trop vite pour lui et il n'a pas l'habitude de solliciter le peu de jugeote qui lui reste. Il sait seulement que lorsque haj Saad Hamerlaine ordonne, on exécute et c'est tout.

Réyan Baz se tait, lui aussi. Il conduit, la tête ailleurs. Son visage est un masque impénétrable.

Ils regagnent le pavillon 32 sous une pluie battante. Réyan ouvre à distance la grille, range la voiture sous le préau et arrête le moteur.

— On passe par la porte de service, dit-il au malabar.

— Pourquoi pas par l'entrée principale ? On n'est pas des voleurs.

— Bob, personne ne doit savoir que tu es rentré ce soir.

Bob opine du chef sans s'expliquer réellement les craintes de Réyan.

Ils contournent le palais, empruntent un portillon, montent directement au premier étage, vont dans une chambre – celle du malabar –, allument à l'intérieur.

— Douche-toi, Bob. Je veux que tu sois impec à Béjaïa. Tu mettras ton costume bleu ciel, il te va à merveille. Je me charge de ta valise.

— Ça va me prendre une heure, la douche. Tu sais que j'adore m'oublier sous le jet d'eau.

— Ce sera pour une autre fois. Je te donne quinze minutes. Allez, déshabille-toi.

Bob se défait de son veston en cuir, de son chandail, s'assoit sur le rebord du lit pour ôter ses chaussures, retire son pantalon ; quand il se retrouve en caleçon, avec juste un tricot de peau sur la poitrine, il se raidit : Réyan Baz le braque avec son flingue.

— T'as trouvé où ce joujou, Réyan ?

— Ne m'en veux pas, Bob. Je ne suis qu'un exécutant.

Réyan tire deux fois. Bob frémit sous les impacts, mais ne s'écroule pas. Il reste un instant songeur, incapable de comprendre pourquoi il y a du sang sur son corps, lève un regard misérable sur Réyan, laisse échapper « Purée ! c'est pas vrai » dans un souffle diffus, puis, un sourire idiot sur la bouche, il se couche lentement sur le côté et ne bouge plus. Pour sceller le travail, Réyan lui fait exploser la tempe ; des grumeaux de cervelle s'écrasent contre le mur, d'autres font trembler un abat-jour sur la table de chevet.

Avec une tranquillité froide, Réyan allume la télé, défait le lit, plie les oreillers, étend les vêtements de Bob sur une chaise, vérifie que tout est en ordre et descend au salon où les corps du valet et de l'opérateur baignent dans une mare de sang. Il éteint les lustres, sort dans le jardin, regagne sa voiture et file vers la sortie en actionnant la télécommande du portail. En passant devant le box du gardien, il s'arrête net : il n'y a personne à l'intérieur de la guérite en verre.

Réyan descend de la voiture. Le sang-froid, qu'il avait observé durant le carnage, s'évanouit en une fraction de seconde. Dépassé par la tournure vertigineuse que viennent de prendre les choses, il entre dans le box, allume l'ensemble des projecteurs quadrillant la résidence et se met à courir dans tous les sens. Il finit par déceler des taches de sang sur une allée, les suit jusqu'à la plage, cherche encore et encore à l'aide d'une torche... Le gardien s'est volatilisé.

Réyan tombe à genoux sur le sable, se prend la tête à deux mains et pousse un terrible cri de rage que la rumeur des vagues engloutit aussitôt.

25.

Les agents de la police scientifique sont à pied d'œuvre au pavillon 32. Dans le grand salon où les cadavres du valet et de l'opérateur gisent, on a placé des étiquettes numérotées à côté des douilles laissées sur le tapis, de la statuette en bronze, et des indices susceptibles d'aider à la compréhension de la boucherie. Deux photographes font crépiter leurs appareils sous différents angles, criblant de flashes les deux corps englués dans leur sang.

Nora monte à l'étage.

D'autres agents passent au crible la chambre où Bob, couché sur le flanc, la tête explosée, fixe bêtement un oreiller. Zine est là, avec Guerd, à regarder s'affairer les experts. Par la fenêtre donnant sur le jardin, on peut voir une troisième équipe inspecter les alentours.

— C'est toi qui as découvert le carnage ? demande la commissaire à Réyan Baz effondré sur un siège dans le couloir.

— J'ai du mal à admettre ce que je vois, dit Réyan Baz d'une voix atone. J'attends de me réveiller.

— Tu n'es pas en train de cauchemarder, jeune homme. Raconte-moi ce qui s'est passé.

Réyan Baz plonge le visage dans ses mains.

— Pouvez-vous me laisser reprendre mes esprits ? Ce sont mes meilleurs amis qui gisent là-dedans. Des types formidables. Ça fait des années qu'on est ensemble. Que vais-je dire à leurs familles ?

— Je suis désolée, j'ai besoin de ta version.

Réyan Baz se lève en titubant, se traîne jusqu'à un petit frigo au bout du couloir, se sert un verre d'eau et l'avale. Il s'essuie la bouche sur le revers de son poignet, revient s'écrouler sur le siège.

— J'ai trouvé la grille ouverte, ce matin, à 7 heures. Le gardien n'était pas à son poste. Je me suis dit que ce n'était pas normal, mais je ne m'attendais pas à un carnage. Alors là, pas du tout. Jamais aucun cambrioleur ne s'est aventuré par ici.

— Tu penses qu'il s'agit d'un cambriolage qui aurait mal tourné ?

— Je ne pense rien. C'est la première fois que je vois des corps baignant dans leur sang. Je suis sous le choc. Mon esprit est chamboulé. Je ne peux rien dire pour l'instant.

— Pourtant, il le faut.

— Je ne suis pas plus avancé que vous, commissaire. J'arrive et je tombe sur un massacre. J'appelle la police et elle est là. Ce que vous voyez, je le vois. Je n'ai touché à rien. Ce n'est même pas moi qui ai découvert Bob. Quand j'ai trouvé les deux corps dans le salon, j'ai senti mon cœur me lâcher. Je n'ai pas osé les approcher. Je suis sorti dans le jardin et j'ai alerté le commissariat. Vos gars sont arrivés tout de suite. Ils sont entrés dans la résidence et ce sont eux qui ont trouvé Bob mort dans sa chambre. Moi, je suis resté dehors. Je ne pouvais pas les suivre. Ensuite, la police scientifique s'est pointée. C'est tout.

— M. Hamerlaine a été saisi ?

— Je n'ai pas eu le courage ni la force de l'appeler. C'est le chef de la brigade qui s'en est chargé. Que pouvais-je lui dire ? C'est affreux, affreux...

Guerd montre la tête dans l'embrasure de la chambre :

— Je crois que le préfet vient d'arriver, commissaire.

Nora court intercepter l'autorité locale dans le jardin.

Le préfet tient à peine debout.

— C'est une catastrophe, répète-t-il sans arrêt.

Il manque de tourner de l'œil lorsqu'il pénètre dans le grand salon.

Le ministre débarque à son tour, seul dans sa Mercedes opaque. Dans la précipitation, il a décalé ses boutons de chemise. Il s'entretient d'abord avec le préfet ; ensuite, il prend à l'écart le capitaine de la police scientifique et exige de lui un premier rapport. Dix minutes plus tard, Hamerlaine arrive, déclenchant une fébrilité générale. Le ministre et le préfet l'accompagnent à l'intérieur de la villa. Ils ne s'y attardent pas. Hamerlaine est dans une colère noire. Nora le voit de loin gesticuler tandis que les deux hauts fonctionnaires l'écoutent sans broncher. La visite terminée, le rboba remonte dans sa voiture et s'en va. Le ministre et le préfet donnent une dernière instruction au capitaine de la police scientifique et se dépêchent de quitter les lieux.

Après leur départ, Nora rejoint le capitaine.

— On est dans la merde, lui confie ce dernier.

— Tu en as connu d'autres, Salah.

— Pas à ce niveau. Le ministre attend mon rapport en fin de journée. Il croit qu'on peut tout obtenir d'un claquement de doigts.

— Tu as une idée du déroulement de la tuerie ?

— On a trois cadavres sur les bras, et un blessé disparu. On a trouvé des traces de sang dans la guérite, un impact de balle dans la chaise du gardien. On a dû le laisser pour mort, mais il a survécu. Je pense que le miraculé s'est échappé par la plage. Mes hommes ont fouillé les rochers sur la gauche et n'ont pas trouvé de corps.

— Il s'est peut-être noyé.

— Possible. Nous avons une équipe de plongeurs sur place, et une autre sur le rivage au cas où la mer rejetterait le cadavre. Pour le moment, on n'a rien.

— Il y a eu combien d'agresseurs, d'après toi ?

— Trop tôt pour avancer un nombre. On a volé la bande de la télésurveillance et supprimé les caméras après le forfait pour couvrir la retraite des tueurs.

— « Des » tueurs ?

— On ne s'attaque pas à la résidence de Hamerlaine seul, Nora. Surtout si l'opérateur est devant ses écrans. La grille a été ouverte à partir de la salle de surveillance. Il n'y a pas de boutons dans la guérite, rien qu'une chaise et un téléphone mural. Pour l'instant, on n'a pas grand-chose. J'espère que le gardien s'en est tiré.

Nora retourne dans la villa, monte à l'étage. Réyan Baz est toujours effondré sur sa chaise.

— Où habite le gardien ? le bouscule-t-elle.

— J'ai mal à la tête...

— Donne-moi l'adresse du gardien, putain !

— Au village des Boussadi, derrière la colline. Une baraque isolée, près de la piste qui mène dans les bois. Demandez Ammi Messaoud.

— Le numéro de la baraque ?

— Elle n'en a pas. C'est une ancienne ferme coloniale, la seule dans le secteur.

Nora ordonne à Zine de la suivre.

— Et moi ? proteste Guerd.

— On revient, lui lance la commissaire en dévalant l'escalier.

Le hameau des Boussadi compte à peine une poignée de gourbis dispersés dans la nature. Pas un gamin dehors, juste un âne vautré dans la poussière et des chiens qui roupillent à l'ombre des murets. La ferme d'Ammi Messaoud tombe en ruine au milieu d'un champ bouffé par le chardon. Une piste efflanquée y mène. Zine s'arrête à la hauteur d'un enclos, scrute les parages. Aucune silhouette ne se manifeste.

— La porte est défoncée, dit-il, et le chien ne bouge pas. Ça sent le roussi.

Les deux policiers s'emparent de leurs flingues et se séparent pour prendre la ferme en étau. Ils jettent un coup d'œil derrière la bâtisse, progressent dos au mur jusqu'à l'entrée principale, chacun de leur côté, le flingue en position d'assaut. Arrachée à ses gonds, la porte est renversée par terre. Dans le vestibule, une armoire est couchée sur le côté, divers objets répandus autour. Les deux policiers avancent en se couvrant à tour de rôle. Ils atteignent une grande pièce minable mise sens dessus dessous comme si une tornade s'y était engouffrée. Une vieille femme est recroquevillée dans une encoignure, les genoux contre le menton, la tête dans les mains. Son foulard pendouille sur son épaule, le haut de la robe est déchiré au niveau du corsage. Elle accuse un sursaut lorsque les deux flics s'approchent. Son visage ensanglanté a les lèvres éclatées et des contusions violacées sur les pommettes ; ses mains meurtries tremblent.

Nora s'agenouille à côté d'elle tandis que Zine va vérifier s'il y a quelqu'un d'autre dans la maison.

— Vous avez été agressée, madame ?

— Qu'est-ce que vous me voulez encore ? Je vous ai dit que j'ignore où se trouve mon mari.

— Nous sommes de la police, vous n'avez rien à craindre.

— Je n'ai peur de personne, dit la femme en repoussant la main protectrice de la commissaire. Et je m'en fiche que vous soyez de la police. Mon mari ne se souvient de moi que lorsqu'il a la crève. Depuis qu'il vit dans le château de son maître, il s'occupe plus du chien que de sa famille. Il ne m'envoie ni argent ni provisions. Ça fait des mois que je ne l'ai pas vu. J'ignore où il est parti. Vous pouvez me cogner jusqu'à demain, je m'en contrefiche. Je-ne-sais-pas-où-il-est !

— Qui vous a agressée ?

— Deux diables me sont tombés dessus en pleine nuit. Je n'ai pas d'électricité et je n'ai pas eu le temps d'allumer ma lampe. Ils ont regardé partout avec leurs torches avant de me brutaliser. Ils cherchaient mon mari. Mais moi, je ne sais pas où il est.

Nora sort sa radio et demande qu'on lui envoie une ambulance à la ferme des Boussadi.

Au pavillon 32, les experts ont rangé leur attirail.

Le capitaine Salah donne les dernières instructions à ses hommes avant de les sommer de monter dans leurs véhicules frappés du logo des unités spéciales de la police.

— Ça se présente comment ? lui demande Nora.

— Beaucoup de pièces manquent au puzzle, dit le capitaine embêté. Le ministre n'aura pas mon rapport aujourd'hui.

— Je crois que j'ai reconstitué le scénario, intervient le lieutenant Guerd, qui a horreur de jouer au figurant d'une part, et d'autre part pour montrer à la commissaire qu'il n'est pas resté les bras croisés pendant qu'elle et Zine gambadaient dans les champs. Les tueurs étaient attendus. Sinon, comment expliquer qu'on leur ouvre la grille.

— Ils ont peut-être fait le mur, lui dit Nora.

— Il a plu toute la nuit. Aucune empreinte de chaussures n'a été relevée du côté des palissades. Par contre, il y a des traces de pneus dans la courette surplombant le jardin. Donc, les tueurs sont arrivés en voiture. La grille ne s'ouvre que de la salle de la télésurveillance. Complicité intérieure ou bien avaient-ils rendez-vous, l'enquête tranchera... Ils ont sonné à la porte. Le valet leur a ouvert. Ils l'ont assommé avec la statuette pendant qu'il leur tournait le dos. L'opérateur a accouru. Ils l'ont abattu. Bob regardait la télé dans sa chambre. Ils l'ont surpris pendant qu'il sautait hors de son lit.

Le capitaine ne peut s'empêcher de sourire, amusé par l'imagination galopante du lieutenant. Il salue la commissaire et s'empresse de rejoindre ses hommes.

Le petit convoi de la police scientifique quitte le pavillon 32, laissant derrière lui un silence frustrant.

Réyan Baz est dans le salon, sur un canapé. Il refuse de reprendre ses esprits. Zine le trouve bizarre. Comment peut-on être choqué et garder un regard intense, vif ? Comment peut-on se dire bouleversé et ne manifester aucune réelle compassion pour les deux cadavres à côté de soi. Pas une fois Baz n'a levé les yeux sur les corps de ses chers amis. On le croirait dans une salle d'attente préfectorale à guetter l'heure de s'acquitter d'une formalité administrative pour se tailler au plus vite. Cet homme ne souffre pas, il s'ennuie.

— Est-ce que je peux disposer ? demande-t-il à Nora. J'ai besoin de prendre une douche pour me ressaisir.

— Comment est agencée la villa ?

— Nous avons les deux salons, d'été et d'hiver, au rez-de-chaussée, ainsi que les cuisines, la salle de télésurveillance, le quartier des domestiques et les cuisines. Au premier, quatre chambres d'hôtes, un sauna, un grand salon...

— Où sont les quartiers de M. Hamerlaine ? l'interrompt la commissaire. Je ne pense pas qu'il partage le même étage que ses sujets ?

— Sa chambre et son bureau se trouvent sur l'aile gauche de la villa. Seuls ses domestiques de Hydra sont habilités à y entrer pour l'entretien. Les employés d'ici ne sont pas autorisés à s'y hasarder.

— Peut-on y jeter un coup d'œil ?

— Il me faut un ordre par écrit signé par M. Hamerlaine en personne.

— Excusez-moi, dit un pompier sur le seuil de la porte. Mes ambulanciers attendent depuis quatre plombes. Quand va-t-on évacuer les dépouilles ?

— Faites donc, mon commandant, je vous en prie, l'invite la commissaire.

26.

Saad Hamerlaine reçoit Nora et ses deux subordonnés dans sa villa sise 62, allée des Promeneurs, à Hydra. Il a choisi de s'entretenir avec eux dans son bureau, pour plus de discrétion, persuadé sans doute de faire l'objet d'un complot qui dépasse le cadre de sa personne.

— Avez-vous une idée de qui pourrait être derrière ces assassinats ? lui demande Nora.

Le vieillard se prend le menton entre le pouce et l'index. Une ride lui fendille le front. Il étire les lèvres sur une moue circonspecte :

— Je n'ai pas d'ennemis, mais l'Algérie en a un contingent, et je suis un pilier de notre patrie, déduit le rboba. En me déstabilisant, on vise à disloquer les institutions du pays. Vous savez ? Nous sommes en train d'introduire des réformes révolutionnaires pour relancer l'économie nationale et rassurer notre peuple menacé par les dérapages de ce que les Occidentaux appellent pompeusement sinon insidieusement le « printemps arabe ». Nos initiatives ne sont pas du goût de certains nostalgiques.

— Vous pensez à la main de l'étranger, monsieur ?

— Il ne faut négliger aucune hypothèse, commissaire.

— Nous menons l'enquête avec les moyens du bord.

— Le ministre m'a promis de vous fournir tout ce dont vous aurez besoin. Il y va du sort de la nation. Savez-vous quand ma petite-fille a été assassinée ?

— Oui, monsieur. Le 23 décembre...

— Et savez-vous ce que ça signifie ?

Nora sollicite du regard l'aide de ses subordonnés, ces derniers baissent la tête en signe d'ignorance.

Le vieillard cogne sur son bureau :

— Le 23 décembre est le jour de mon anniversaire !

Les trois policiers se pétrifient, bouche bée. La pomme d'Adam de Guerd se bloque dans sa gorge. Zine ne se rend pas compte que le stylo, avec lequel il griffonnait des notes sur un calepin, vient de lui tomber des mains.

— Oui, halète Hamerlaine, le jour de mes quatre-vingt-sept ans. Les fumiers ont fêté à leur manière mon anniversaire.

— Nous sommes navrés, monsieur.

— Ils ont assassiné ma petite-fille le jour de mon anniversaire, répète-t-il.

— Oui, monsieur.

— Vous imaginez le genre de canailles auxquelles on a affaire, commissaire. Des êtres infects, misérables et d'une cruauté diabolique.

— Oui, monsieur.

— En s'attaquant à ma famille et à mon personnel, ces salopards cherchent à me démoraliser, sauf qu'ils oublient que je suis indémontable. Je mets un point d'honneur à les retrouver les uns après les autres, ainsi que tous ceux qui, de près ou de loin, sont mêlés à cette machination. Le châtiment que je leur réserve ferait trembler un damné éternel. Je serai sans pitié et leur ferai regretter d'être venus au monde, faites-moi confiance. Aussi, je ne veux pas que les choses traînent. Il faut les identifier le plus vite possible afin de démanteler leur réseau et d'épargner au pays d'autres carnages. Nous avons suffisamment souffert de la décennie du terrorisme pour nous permettre des prolongations.

— Nous ne sommes que trois sur l'affaire, monsieur, plaide Nora.

— Erreur. Vous êtes plusieurs équipes engagées sur le terrain. Chacune dans sa spécialité. Les enjeux sont énormes, et nous mettons le paquet pour parer à tout imprévu.

— Vous voulez dire que d'autres départements mènent la même enquête que nous, monsieur ? La DRS, l'OBS, la gendarmerie... ?

— Chacun opérera dans son secteur, la rassure le vieillard. Ce qui relève de la sécurité de l'État reviendra à l'organe concerné. Personne ne viendra vous faire de l'ombre. Une cellule spéciale a été mise en place. Elle recueillera les informations des uns et des autres, procédera à leur recoupement et préconisera la marche à suivre. Pour la police, il s'agit strictement d'une affaire criminelle.

Nora opine du chef sans pour autant se départir de sa stupéfaction.

Hamerlaine la considère en silence.

— On m'a signalé que vous avez relevé des empreintes digitales sur la statuette qui a servi à l'assassinat de Mabrouk, le cuisinier.

— Oui, monsieur.

— Et qu'attendez-vous pour les analyser ?

— C'est fait, monsieur, dit Nora en se tournant vers Zine.

L'inspecteur s'empresse d'extirper de son cartable une enveloppe, tend le contenu à la commissaire.

— Nous n'avons reçu les résultats que ce matin. Les empreintes appartiennent à un certain Kader Kacimi, ancien diplomate et homme d'affaires...

— Quoi ? rugit le vieillard. Vous plaisantez ?

— Non, monsieur. Le rapport est là.

— Je peux le voir ?

— Bien sûr.

Nora doit presque ramper sur le bureau colossal pour parvenir à remettre le document au vieillard. Ce dernier le parcourt, agite la tête de gauche à droite, dubitatif.

— Il doit y avoir une erreur, commissaire. Ce n'est pas possible.

— Il n'y a pas d'erreur, monsieur.

— Ça ne peut pas être Kader, persiste le vieillard. Il ne ferait pas de mal à une mouche. C'est un vieux con, c'est vrai, mais il ne tiendrait pas deux secondes devant une goutte de sang.

— Vous le connaissez, monsieur ?

— Et comment ! C'est moi qui l'ai élevé. Il me doit tout, et il n'est pas ingrat.

— Connaît-il le pavillon 32 ?

— Il m'y rendait parfois visite pendant la saison estivale. Il m'arrivait de les garder, son épouse et lui, pour une nuit ou deux. Pourquoi ?

— Le ou les tueurs connaissaient par cœur la résidence, de la salle de télésurveillance aux chambres des domestiques.

— Ça ne prouve rien concernant Kader. Les commandos sont des professionnels. Ils se renseignent sur les lieux de leur raid au millimètre près.

— Selon vous, auraient-ils bénéficié d'une complicité intérieure ?

— Je ne vois pas comment. Mes hommes sont triés sur le volet. Ils sont mieux traités que nulle part ailleurs. J'ai une confiance absolue en leur dévouement. Cette question, c'est à vous de lui trouver une réponse, commissaire. Vous faites fausse route. Kader est une diversion. Il ne peut pas être impliqué dans cette histoire. Il a une véritable vénération pour moi. Je l'avais introduit au ministère des Affaires étrangères et accompagné le long de sa carrière de diplomate. Je suis son parrain. Certes, je n'ai pas souhaité le soutenir lors des dernières élections sénatoriales, mais il ne m'en voudrait pas pour ça.

— Je suis sincèrement navrée, monsieur, nos experts sont catégoriques. Les empreintes sur la statuette sont bel et bien celles de Kader Kacimi. Nous sommes allés chez lui. Sa femme dit qu'elle ne l'a pas revu depuis la nuit du 17 janvier, c'est-à-dire la nuit de la tuerie du pavillon 32. Nous avons contacté son entreprise commerciale. Même réponse. M. Kacimi a disparu de la circulation.

Le vieillard continue de faire non de la tête :

— Il y a sûrement une explication à ça. Kader n'oserait jamais porter la main sur quelqu'un. Il me doit tout ce qu'il a réussi dans sa vie. Même son épouse, c'est moi qui la lui ai trouvée. Non, non, j'ignore où il traîne, probablement quelque part à courir les jupons, mais il n'y est pour rien dans la tuerie. Si ça se trouve, on s'est servi de lui pour brouiller les pistes. Je vous rappelle qu'il s'agit d'un complot contre moi, donc contre l'État algérien.

Il se lève et quitte le bureau, laissant les trois policiers perplexes ne sachant plus si c'est leur incompétence ou l'énigme du « complot » qui a sorti le rboba de ses gonds.

27.

La voiture de Kader Kacimi a été localisée sur le parking VIP de l'aéroport Houari-Boumédiène.

Par mesure de sécurité, on a chargé des artificiers d'examiner le véhicule au cas où il serait piégé, avant d'évacuer la Peugeot sur le garage de la police scientifique.

— Vous plaisantez ? s'exclame Mme Joher Kacimi. Mon mari ne peut pas quitter le pays. Il a des rendez-vous importants.

— Son nom figure sur la liste des passagers, atteste Nora. Il a pris le vol AH 1515 pour Bruxelles au matin du 17 janvier.

— Je ne vous crois pas. Mon mari se bat pour un siège au Sénat. C'est la priorité des priorités et la bataille est loin d'être gagnée. Kader ne m'a pas parlé de voyage à l'étranger. Jamais il n'est parti quelque part sans me dire où et quand il compte rentrer. Ce n'est pas dans ses habitudes de me laisser sans nouvelles. Je suis absolument certaine qu'il lui est arrivé quelque chose de grave.

— Qu'est-ce qui vous laisse supposer ça ?

— Je ne suppose pas, je suis catégorique.

— Avait-il des problèmes ?

— Énormément, mais pas de nature à le mettre physiquement en danger. Sa disparition ne me dit rien qui vaille. Il n'est pas le genre à fourrer le nez dans des pièges à loup et il n'a rien d'un dur à cuire. Quand il peut se servir, il ne se gêne pas, et quand on lui refuse une faveur, il n'insiste pas. C'est un monsieur distingué, cultivé, il sait parfaitement passer son chemin lorsqu'il n'y a rien à voir. Mon mari est quelque part par ici. Si on fait croire qu'il a quitté le pays, c'est qu'il est en danger pour des raisons qui m'échappent.

— Vous avez essayé de le joindre au téléphone ?

— Tous les jours. Je tombe systématiquement sur le répondeur. Autre chose troublante, mon mari devait rencontrer le président de l'Assemblée avant-hier. Vous pensez bien qu'il ne pouvait faire l'impasse sur une telle opportunité.

Après avoir interrogé Mme Joher Kacimi à son domicile, Nora et ses deux subordonnés retournent au pavillon 32.

Malgré les consignes, les lieux des crimes ont été nettoyés de fond en comble.

La commissaire est hors d'elle, mais l'impassibilité de Réyan Baz ne fait que rendre sa colère ridicule. Le responsable de la résidence affiche un calme olympien. Il reçoit les policiers avec un détachement qui tranche net avec l'attitude qu'il observait quelques jours plus tôt. M. Baz a recouvré sa désinvolture de jeune premier, son indolence de quelqu'un qui s'éveille à sa bonne étoile. Un verre de vodka à la main, c'est à peine s'il accorde un soupçon d'intérêt aux visiteurs. En les voyant arriver, il a hoché la tête et Zine a lu sur ses lèvres : « Encore ces emmerdeurs. »

— Vous avez oublié votre sac à main, commissaire ? ironise-t-il.

— Je n'en porte pas quand je suis en service.

Baz écarte les bras pour montrer l'état des lieux.

— Comme vous pouvez le constater, tout est rentré dans l'ordre ici.

— Vous n'aviez pas le droit de faire le ménage sans notre autorisation, l'apostrophe Nora.

— Je ne suis qu'un humble exécutant. Si vous trouvez qu'on a mal agi, il faudrait sermonner le rboba.

Zine est estomaqué par l'excès de confiance en soi du jeune homme. Son poing se crispe et se relâche par intermittence. La nervosité de l'inspecteur n'échappe pas à Baz, pis, elle l'amuse.

— Tu étais où, la nuit de la tuerie ?

— Dois-je comprendre que vous me soupçonnez ? s'enquiert Baz en se dandinant sur place, de plus en plus déplaisant.

— Ce n'est pas une réponse.

— J'étais chez moi, au Caroubier.

— Tu as de quoi valider ton alibi ?

— J'habite seul. Ma copine m'a plaqué.

— Ça ne m'étonne pas, lui dit Guerd.

Le lieutenant et le jeune homme s'incendient du regard, le premier les dents en avant, le second avec le sourire.

— Assieds-toi sur le canapé, ordonne la commissaire à Baz.

— Je suis bien, debout.

— Assis !

Baz marque un temps mort, puis, à contrecœur, il consent à prendre place sur un fauteuil.

— Kader Kacimi avait l'habitude de venir ici ?

— Quand il était dans les bonnes grâces du patron, il lui arrivait de séjourner un week-end ou deux pendant l'été. Il venait avec sa femme. Mais depuis quelques années, il n'est plus le bienvenu au pavillon 32.

— Pourquoi ?

— Les voies du Seigneur sont impénétrables.

— Fréquentait-il certains de tes employés ces derniers temps ?

— Je ne crois pas.

Nora le dévisage un instant avant de poursuivre :

— On a retrouvé la voiture de M. Kacimi.

— Tant mieux pour ses ayants droit.

— Où sont les toilettes ? demande Guerd. Je sens que je vais gerber.

— Au fond du couloir, à gauche, lui indique Baz. Au sous-sol.

Guerd se dépêche.

— J'espère qu'il ne va pas oublier de tirer la chasse après, plaisante Baz.

— Continue de faire le mariole, et c'est toi qu'on mettra dans le bidet avant de tirer la chasse, lui promet Zine.

— Sais-tu ce qu'on a trouvé dans la boîte à gants de la voiture en question, monsieur Baz ? reprend la commissaire.

— Ça ne m'intéresse pas.

— Un pistolet.

— Rien que ça.

— Muni d'un silencieux.

— Qui a dit que nous sommes réfractaires à la technologie ?

— Avec les empreintes de M. Kacimi dessus.

— C'est embêtant pour un candidat au Sénat.

— D'après l'étude balistique, c'est le même pistolet qui a servi à abattre l'opérateur et Bob.

— Il n'y a pas de crime parfait, admet Baz.

— Et à côté du pistolet, il y avait ça, poursuit Nora en exhibant un disque. Sais-tu ce que c'est ?

— Le dernier tube de Cheb Khaled ?

— Non, monsieur Baz. C'est l'enregistrement de la télésurveillance de la résidence. Tu veux qu'on la visionne ensemble ?

— Je vous crois sur parole, dit Baz intraitable.

— La parole ne fait pas foi dans la police. Seules les preuves comptent.

Les deux policiers conduisent le jeune homme dans la salle de télésurveillance pour visionner la bande. Sur l'écran principal du dispositif, on voit arriver une grosse cylindrée, la grille qui coulisse, le véhicule qui entre dans la résidence, s'immobilise dans la courette surplombant le jardin. Un homme met pied à terre, s'approche de la villa. Zoom sur le visage du visiteur. C'est Kader Kacimi. Sur le côté gauche de l'écran on lit : « 23 h 37, 17-1-2013. » Kader Kacimi sonne à la porte qui s'ouvre aussitôt comme si quelqu'un attendait derrière. On ne voit pas qui est à l'accueil, mais on distingue un bout de bras.

— C'est le bras de quelqu'un qui porte une veste, fait observer Nora.

— Ça crève les yeux, reconnaît Baz. Où est le problème ?

— On suppose que c'est le cuisinier qui a ouvert la porte.

— Normalement. Mabrouk est plus que cuisinier, c'est le valet.

— Et c'est là, le problème. Le valet porte une robe à manches amples, pas de veste.

— C'est vrai, fait Baz avec un léger trémolo dans la gorge. C'est peut-être Bob ?

— Bob regardait la télé quand on l'a abattu.

— Ou bien l'opérateur.

— Il portait un T-shirt quand on l'a flingué.

— J'avoue que c'est curieux.

— Curieux, non, plutôt bâclé. M. Kacimi arrive, sonne. Le valet lui ouvre. Kacimi lui fracasse le crâne avec la statuette. L'opérateur se manifeste. Il est abattu. Bob est dans sa chambre à regarder la télé. Il n'a rien entendu. Le tueur a un flingue muni d'un silencieux. Il monte à l'étage et surprend Bob dans son lit. C'est bien ce qu'on est censés avoir compris, selon la mise en scène, non ?

— Que voulez-vous que je vous dise ?

— Portais-tu une veste, cette nuit-là ?

— Je n'étais pas là.

Raté ! pense Nora.

— Je ne comprends pas, revient à la charge la commissaire. Le tueur aurait dû flinguer le cuisinier aussi, comme les autres. Pourquoi s'était-il servi de la statuette en bronze ? Juste pour laisser ses empreintes dessus en guise de signature ?

— C'est vous, la police.

— Justement, monsieur Baz, justement. Un tueur qui laisse des empreintes sur la statuette et aucune autre nulle part, ni dans la salle de télésurveillance où il s'empare du disque en éteignant tous les écrans ni dans la chambre de Bob, ce n'est pas sérieux.

— Il portait des gants.

— Il aurait dû les porter depuis le début, non ?

— Je ne suis pas flic, moi. Pourquoi me posez-vous des questions auxquelles je n'ai pas de réponses ? Je vous ai dit que je n'étais pas là. Je suis arrivé le matin...

— À 7 heures, l'interrompt Zine. Tout ça, on connaît. Ce qu'on ignore, c'est : un, à qui appartient le bras dans la veste ? deux, M. Kacimi avait-il un complice dans la maison ?

— Un complice dans la maison ?

— Des empreintes digitales et des cheveux appartenant à Bob ont été relevés dans la voiture de M. Kacimi.

— Si je vous suis bien, Bob aurait été le complice de Kacimi ? C'est lui qui l'aurait aidé à entrer dans la résidence ?

— C'est plus compliqué que ça, monsieur Baz. Bob a été tué beaucoup plus tard.

— Comment ça ?

— D'après le rapport du médecin légiste et celui de la police scientifique, le valet et l'opérateur ont été tués en même temps, entre 23 heures et minuit. Bob, lui, a été exécuté entre 3 heures et 4 heures du matin. Par le même flingue. Dois-je comprendre que le tueur a mis trois heures pour passer du salon au premier étage ?

Cette fois, Baz ressemble à un chiffon. Il n'arrive pas à discipliner sa respiration.

— Commissaire, crie Guerd du sous-sol. Venez voir.

Nora et Zine se précipitent hors de la salle de télésurveillance, foncent vers un petit escalier au fond du couloir, débouchent au sous-sol sur une grande pièce encombrée de machines à laver, d'armoires, de tables à repasser et autre matériel d'entretien.

Guerd montre un placard mural dans lequel sont soigneusement rangées des piles de draps, de nappes, de rideaux et de couvertures.

— Visez-moi ces draps-là, les gars. De la soie filée d'or. Ça ne vous rappelle rien ?

La commissaire déploie le tissu en question, le tourne et le retourne.

— Étrange coïncidence, dit-elle. Ça ressemble à s'y méprendre au drap qui enveloppait le corps de Nedjma Sadek.

— Nous en avons toute une collection, fait Baz subitement pâle. Pour l'usage exclusif de M. Hamerlaine. Ça coûte les yeux de la tête.

— On vous le rendra après un petit détour par le labo.

— Reposez-le tout de suite. Le patron a horreur que l'on touche à ses affaires.

— Essaye de te mettre en travers de notre chemin, réplique Guerd. Je te marcherai sur le corps jusqu'à faire exploser tes hémorroïdes comme du papier-bulles.

Et d'un coup, Baz s'écroule comme un château de cartes. Sa pâleur vire au gris. Il s'appuie contre le mur, la pomme d'Adam bloquée dans la gorge.

— Écoutez... halète-t-il. Si M. Hamerlaine l'apprenait, il ne se contenterait pas de me virer.

— S'il apprenait quoi ?

— Que Bob amenait de temps à autre des filles à la résidence. Je n'étais pas d'accord, je vous assure. Plusieurs fois, je l'avais rappelé à l'ordre, mais Bob n'en faisait qu'à sa tête. Haj ne vient à la résidence qu'en été, pour une ou deux semaines. Le reste de l'année, nous sommes un peu livrés à nous-mêmes. Bob en profitait pour inviter ses conquêtes ici. Il se faisait passer pour le propriétaire des lieux. Je l'avais menacé de le dénoncer, mais il savait que je ne le ferais pas. Nous étions très proches, lui et moi. Alors, je fermais les yeux sur ses incartades. Il était jeune, vous comprenez ? Il profitait de la vie. Et puis comme personne ne risquait de nous surprendre, je ne voyais pas comment le convaincre d'opérer ailleurs. Ici, au moins, c'est discret.

— Donc, Bob a fait venir Nedjma au pavillon 32.

— Nedjma ?

— Nedjma Sadek, précise Nora, l'étudiante trouvée morte le 24 décembre dernier dans la forêt de Baïnem, avec un sein arraché.

Baz paraît sidéré.

— Je ne vois pas de qui vous parlez.

— Son corps a été enveloppé dans un drap comme celui-là...

— Je vous assure que j'ignore tout de cette histoire.

— Allons donc, M. Hamerlaine ne serait pas fier de toi.

Baz déglutit à maintes reprises. Son regard éperdu saute d'un flic à l'autre tandis que ses mains se triturent au sang.

Semblant émerger d'un long désarroi, il fléchit d'un cran supplémentaire :

— J'ai eu vent d'une soirée qui aurait mal tourné, mais je n'ai pas eu plus de détails. Le gardien m'a raconté que Bob avait amené une fille un soir, et qu'il l'a vu sortir la nuit avec un fardeau. Il faisait noir. Le gardien n'a pas pu savoir ce que c'était au juste.

— Il n'a pas vu la fille repartir ?

— Non.

Nora fait signe au lieutenant de s'emparer du drap pour le soumettre au labo.

— Je vous en supplie, s'affole Baz, n'en dites rien à M. Hamerlaine. Il m'arracherait la peau et le cœur avec.

Nora le laisse planté au milieu du matériel d'entretien et invite ses subordonnés à la suivre dehors.

Il n'y a personne au chalet 28. Baz a sonné à la porte, puis il a cogné dessus à s'esquinter le poignet. En vain. Il s'assoit sur le perron, sort son portable. Ses appels s'émiettent sur répondeur. Il attend une dizaine de minutes pour rappeler. Rien au bout du fil. Il finit par laisser un message : « Je suis chez toi. Urgence signalée. »

Baz consulte sa montre. Cela fait trois heures qu'il attend sur le perron, au cœur d'un bosquet effrayant de silence. Hormis quelques oiseaux qui pépient dans le branchage, pas un souffle ne se déclare aux alentours. Le chalet 28 se trouve sur une chasse gardée, une sorte de réserve féodale où ne sont admis ni braconniers ni randonneurs.

Au moment où il commence à désespérer, un 4 × 4 surgit des fourrés. Baz bondit sur place, soulagé.

Le gros véhicule s'arrête derrière la voiture de Baz. Un escogriffe en descend. C'est Othmane.

— Je t'ai dit cent fois de ne pas te garer devant chez moi. Il y a un abri derrière.

— Personne ne vient par ici, couine Baz.

— J'n'en ai rien à cirer. Les instructions sont les instructions. Tu caches ta caisse derrière, un point, c'est tout.

Baz remonte dans sa voiture, contourne le chalet et se range sous un abri. Othmane, qui entre-temps est rentré dans l'habitation, lui ouvre une porte extérieure et l'introduit dans le salon en passant par la cuisine.

— Je t'ai appelé plusieurs fois.

— Tu as eu tort, lui dit sèchement l'escogriffe. Tu es peut-être sur écoute, crétin.

— La police est revenue ce matin au pavillon 32.

— J'suis au courant.

— La commissaire soupçonne quelque chose.

— C'est son métier.

Baz se sert un verre d'alcool et l'avale cul sec pour reprendre ses esprits. Il raconte la visite des policiers dans les moindres détails. Othmane l'écoute jusqu'au bout, sans l'interrompre, les sourcils arc-boutés contre une intense concentration.

— Il ne fallait pas leur avouer pour Bob.

— Ils ont trouvé les draps.

— On en trouve un peu partout chez la jet-set algéroise.

— Je ne m'attendais pas à...

— Tu es payé pour t'attendre à n'importe quoi, Réyan. Tu aurais dû t'en tenir à la version première : que tu n'es au courant de rien.

— Ils ont pris les draps pour les analyser au labo.

— Et alors ? Qu'est-ce que ça prouve ?

— Ils ont aussi trouvé la voiture de Kacimi, avec la bande de la télésurveillance et le flingue.

— C'est moi qui ai laissé la voiture à l'aéroport. Kacimi a quitté le pays.

— Il a quitté le pays ?

— Crétin !

Othmane pousse Baz jusqu'à la cave. La cage, où quelques jours avant Kacimi était captif, est vide. Sur le sol, une grande plaque de ciment finit de sécher. À côté, un fossé rectangulaire de la taille d'un homme est creusé, entouré d'un tas de terre retournée.

— Qu'est-ce que c'est que ce cirque ? s'enquiert Baz.

— Sous la plaque de ciment à gauche dort pour l'éternité notre cher Kacimi.

— Il n'a donc pas quitté le pays.

— Dans un sens, oui.

— Et le fossé à droite, c'est pour quoi faire ?

— À ton avis ?

Baz recule d'un pas, repoussé par l'ignoble rictus qui vient de distordre la bouche de l'escogriffe.

— Non, s'écrie-t-il.

— Si, l'assure Othmane, pistolet au poing.

28.

Ed Dayem est totalement chamboulé par les révélations de Guerd. Un violent courant d'air s'est engouffré dans sa tête, faisant voler en éclats ses neurones. Le lieutenant serait-il en train de divaguer ? Apparemment non ; il picore tranquillement dans une assiettée de pistaches, les genoux croisés, bien calé dans son siège, comme s'il racontait un banal fait divers.

Ed desserre le nœud de sa cravate, s'éponge la figure avec un Kleenex, ouvre la fenêtre pour aérer, persuadé que les choses sont en train de lui échapper.

— Un vrai carnage, minaude Guerd, ployé sur son assiette.

— Lâche-moi du lest, mon gars. Je n'arrive pas à te suivre. Il faut que je m'en remette, putain !

Ed sort dans le couloir. Il somme Karima, l'hôtesse d'accueil, de fermer boutique et de rentrer chez elle.

— Bien, monsieur.

Ed attend que son employée descende le rideau de la devanture et s'en aille, retourne dans son bureau, se défait de sa cravate, déboutonne sa chemise, se verse un verre d'eau avant de tomber d'un bloc dans sa chaise de nabab :

— Et si on reprenait tout depuis le début ?

— Depuis le début ? sursaute Guerd. Il ne reste presque plus de pistaches dans mon assiette.

— Je suis sérieux, bon sang ! C'est quoi, cette histoire de tuerie. Je n'étais pas au courant.

— On a buté le chauffeur, le chargé de la télésurveillance et le valet. Le gardien, lui, a disparu.

— Au pavillon 32 ?

— Exactement.

— Ce n'est pas possible. Qui oserait s'en prendre à Hamerlaine dans son propre fief ?

— C'est ce qu'on cherche à savoir, Eddie.

Pour la énième fois, le magnat de la presse se tamponne le front ruisselant de sueur. Son visage congestionné est sur le point de flamber.

— Ça va merder à grande échelle, bredouille-t-il. Ça va être terrible, terrible. Le rboba est comment ?

— Incendiaire.

— J'imagine... C'est arrivé quand ?

— La semaine dernière.

— Et personne d'autre n'est au parfum ?

— Il y en a une bonne clique : le ministre, le préfet, les gars de la Scientifique, notre équipe de la Criminelle...

— Et pas la presse ?

— Hamerlaine ne tient pas à ce que l'affaire s'ébruite. Les instructions sont strictes là-dessus.

— Que vient fiche Kader Kacimi dans cette histoire ? C'est juste un bouffon.

— Il était là, la nuit du massacre. Nous détenons la bande d'enregistrement qui le prouve.

— Il était là par hasard, c'est sûr. Je le connais. Pas du tout le genre à prendre des risques. (Il se verse de nouveau à boire.) Waouh ! Je me déshydrate rien qu'à t'écouter. Et vous en êtes où, avec l'enquête ?

— La commissaire Nora croit que l'on s'est servi de Kacimi pour brouiller les pistes. Hamerlaine pense la même chose.

— La commissaire a les preuves de ce qu'elle avance ?

— On ne couche pas ensemble, voyons. Je t'ai dit qu'elle est lesbienne. Elle garde ses confidences pour la traînée qu'elle héberge chez elle.

— J'ai le sentiment qu'il va en pleuvoir, des têtes, fait Ed en fourrageant dans ses cheveux, de plus en plus mal à l'aise. Je préférerais avoir une insurrection populaire sur les bras plutôt que Hamerlaine sur le dos...

Guerd pêche la dernière pistache, la mire avec délectation et la porte à sa bouche d'un geste mystique.

— Le rboba soupçonne la main de l'étranger derrière cette affaire.

— Tu veux dire un coup vache commandité par la France ?

— J'n'en sais rien, moi. Hamerlaine est persuadé qu'en s'attaquant à lui c'est toute la nation qui est visée.

Ed tend les bras par-dessus le bureau pour supplier le lieutenant d'arrêter le délire, ensuite il se prend les tempes à deux mains et essaye de remettre de l'ordre dans son esprit en ébullition. Après une longue méditation, il émerge doucement de son apnée, les yeux perdus, les narines dilatées.

Guerd dit :

— Haj est furax. Il faut le comprendre. C'est sa petite-fille qu'on a assassinée en premier.

— Quelle petite fille ?

— Ben, Nedjma.

— Je ne te suis pas.

— Nedjma Sadek, l'étudiante trouvée morte dans la forêt de Baïnem, est la petite-fille de Hamerlaine.

— Quoi ? sursaute Ed. C'est un célibataire endurci.

— Mais non. Il a été marié dans le temps.

— Doucement, qu'est-ce que tu racontes ? Hamerlaine avait une petite-fille ? Une vraie petite-fille, une petite-fille biologique ?

— Croix de bois, croix de fer.

— Et moi qui pensais que cette histoire de jeune fille assassinée était une diversion.

— C'n'en est pas une, je te le garantis.

Cette fois, Ed sent ses tripes se liquéfier et ses contractions anales s'accélérer. Il court se soulager dans les W.-C., revient cinq minutes plus tard, exsangue.

— Tu n'as pas tiré la chasse, lui lance Guerd.

— J'ai mal au bras. Depuis mon retour à Alger, j'ai presque plus de peau au cul à force de me torcher... J'ignorais que Haj avait une smala cachée. Lorsqu'il m'a parlé de *sa* famille, j'ai cru comprendre la famille révolutionnaire, *son* clergé.

— Eh bien, t'as mal compris.

— Nom d'un chien ! s'essouffle-t-il en français. Je me disais bien que cette enquête banale cachait quelque chose, qu'il y avait anguille sous roche, mais là, je tombe des nues.

— Il va falloir vite te ressaisir, Eddie. L'anguille sous roche est un anaconda.

Ed ne sait où donner de la tête. Le cafouillis de ses tripes se mue en nausée. Il dit au lieutenant, en articulant chaque syllabe comme s'il redoutait qu'au moindre lapsus ses idées se remettent à tourbillonner :

— Et si tu m'expliquais tout depuis le début ?

— Encore ? s'écrie Guerd, affligé par la nudité de son assiette.

Mme Joher Kacimi habite au cinquième et dernier étage d'un immeuble grand standing sur les hauteurs d'Alger. Trois cents mètres carrés donnant sur une terrasse verdoyante avec vue panoramique sur la baie. Le hall d'entrée du bâtiment est une formidable galerie d'art ; du granit incrusté de fresques vantant l'époque glorieuse des flibustiers algériens aux barbes rousses, des appliques sophistiquées, une belle statue en marbre au pied des marches et un lustre en cristal ornant le plafond finement ciselé.

Un ascenseur futuriste scintille de chrome, beau comme la porte du paradis. Il s'ouvre sur un personnage dégingandé au visage aride : c'est Othmane. Ce dernier est surpris de trouver les trois policiers au rez-de-chaussée, mais il s'arrange pour faire comme si de rien n'était. Ne le connaissant pas, Nora et ses subordonnés le laissent sortir de la cage sans lui accorder trop d'attention.

Le palier du cinquième est une copie conforme du hall. Même habillage en granit, mêmes appliques, même plafond sculpté avec talent.

Joher met un temps fou à ouvrir. La vue des policiers la navre presque.

— Vous auriez pu vous annoncer, reproche-t-elle à la commissaire. Je ne reçois que sur rendez-vous.

— J'ai essayé de vous joindre sur votre portable plusieurs fois.

— Mon portable ne marche plus.

Elle s'écarte à contrecœur pour laisser entrer les flics.

— J'étais sur le point de sortir, dit-elle, agacée.

C'est vrai qu'elle est bien coiffée, bien maquillée et bien moulée dans son tailleur Chanel.

— Que me vaut cette visite, commissaire ?

— C'est à propos de votre mari.

— Il va bien, merci.

— Pardon ?

— Il m'a téléphoné, ce matin. (Les trois policiers se regardent, éberlués.) Il est en Europe et il se porte à merveille.

— Il vous a téléphoné, ce matin ?

— Absolument.

— Vous dites que votre portable est en panne.

— Il m'a appelé sur le fixe.

— Vous êtes sûre ?

— Et comment ! Je suis tellement heureuse que je vais de ce pas me payer une glace chez Ice-Krim.

— Savez-vous pourquoi il a quitté le pays ?

— Parce qu'il aurait risqué gros s'il était resté.

— C'est-à-dire ?

— Mon mari est la seule personne qui a osé rendre la monnaie de sa pièce à ce fumier de Hamerlaine. Je ne l'en croyais pas capable.

— Ainsi, vous êtes au courant de ce qui s'est passé au pavillon 32.

— Vaguement.

— Il vous en a parlé ?

— Non. On est peut-être sur écoute. Mais je l'ai deviné toute seule comme une grande.

— Vous pensez que votre mari est mêlé à cette histoire ?

— Je l'espère. Question d'honneur. Mon mari a toujours servi loyalement Hamerlaine. Quand il était chef de poste à l'étranger, il s'occupait beaucoup plus des affaires du rboba que des intérêts de l'État. Les transactions, le blanchiment d'argent, les sociétés écrans, les transferts, les contrats, toutes les opérations financières et commerciales que Hamerlaine lançait à l'étranger, c'est Kader qui se chargeait de les faire aboutir. Et voilà que le dinosaure le *répudie*. Sur un coup de tête. Du jour au lendemain. Après mille services rendus. Il l'a empêché de devenir sénateur et lui a fermé toutes les issues politiques. Mon mari, qui fut l'un des plus dynamiques diplomates de la nation, s'est retrouvé éjecté comme un vulgaire fusible grillé. Personne ne le reconnaît dans les affaires et dans les cercles décideurs. Pourtant, nous avons essayé de nous racheter, même si nous n'avions pas commis d'impairs. Nous savons que nous suscitons énormément de jalousie. Quelqu'un a sans doute monté Haj contre mon mari. Les rboba prennent pour argent comptant ce que leur rapportent leurs courtisans dès lors qu'ils se sentent offensés. C'est une pratique courante en hautes sphères. Les ventriloques sont légion à ce niveau-là. Je suis allée personnellement nous réconcilier avec Hamerlaine. Il ne me refusait rien avant. Mais il a été ignoble. Il m'a humiliée comme jamais personne ne l'a été.

— Il vous a fait une proposition indécente ?

— Pire, s'étrangle de rage Joher.

— Il vous a agressée sexuellement ?

— Il a dépassé l'âge des saillies. Il n'est plus qu'un vieillard incontinent avec un bout de ficelle dans les couches. Même avec un électrochoc, il ne banderait pas.

Zine avale sa salive de travers.

— Quel genre d'humiliation vous a-t-il fait subir ? demande Guerd.

— Suffisamment infamante pour que mon mari réagisse. Nous ne sommes pas des serpillières. Nous sommes des gens respectables, à cheval sur certains principes. Mon mari a pété un câble, certes, mais c'était ça ou se pendre. Il n'avait pas le choix. Nul ne peut survivre à l'humiliation.

— Je vous signale qu'il a tué des innocents, lui dit Nora.

Joher donne un violent coup d'arrêt à sa volubilité. Une pâleur subite transperce son fond de teint et des pattes-d'oie se ramifient sur ses tempes :

— Holà ! Pas si vite, s'il vous plaît. C'est quoi, cette histoire de morts ?

— Vous n'êtes donc pas au courant de ce qui s'est passé au pavillon 32 ?

Joher doit s'appuyer contre l'accoudoir d'un fauteuil pour se maintenir debout :

— Que s'est-il passé là-bas ? J'ai cru comprendre que mon mari est allé dire ses quatre vérités à cette momie infecte de Hamerlaine, mais il n'y est pas question de mort d'hommes. Kader est un gentleman.

— Votre mari serait-il impliqué dans l'enlèvement et la mort de la petite-fille de Hamerlaine ?

Joher écarquille des yeux grands comme des soucoupes. Cette fois, elle s'assoit carrément dans le fauteuil, les mollets flageolants.

— La petite-fille de qui ?

— De Hamerlaine.

— Ce monstre est capable d'enfanter ? Si c'est le cas, l'Algérie n'est pas près de sortir de l'auberge.

Elle se reprend en main, se lève et pousse sans ménagement les policiers vers le vestibule :

— Je suis déjà en retard à mon rendez-vous. Je vous prie de m'excuser, maintenant. De toute évidence, vous n'êtes que des amateurs de série B et vous vous égarez ridiculement. Kader dans le rôle du méchant ? Laissez-moi rire... Retournez refaire votre cursus et fichez-moi la paix.

29.

Le débriefing a lieu dans la salle opérationnelle du Central, au milieu d'un arsenal de tableaux de statistiques, d'écrans géants, de grilles légendées et de cartes d'état-major dûment renseignées. Guerd se tient sur l'estrade, une règle à la main. Il a reproduit sur un large plan du pavillon 32 des croquis caricaturant le positionnement des corps du valet et de l'opérateur tués dans le salon ainsi que celui de Bob dans sa chambre, puis il a écrit au noir « chien » pour situer l'endroit où le molosse a été abattu et tracé des pointillés rouges pour indiquer la direction prise par le gardien blessé lors de la tuerie.

Zine et Nora sont assis sur des chaises rugueuses face à l'estrade, aussi attentifs que deux bûcheurs au premier rang de la classe.

— Je me suis creusé la cervelle pendant des heures pour parvenir à ceci, commence le lieutenant avec zèle. Kader Kacimi sait qu'il ne sera pas sénateur. Sa société Import-Export.Dz est au bord de la faillite. Lui-même gravite à la périphérie de la dépression nerveuse. En plus d'être ruiné et exécuté politiquement, il apprend que Joher, son épouse, a été « humiliée » par Hamerlaine. Il pète un câble. Je continue ou j'arrête ?

— Continue, le prie Nora.

Guerd marque une pause avant de poursuivre :

— Kader connaît bien le pavillon 32. Il y a séjourné à maintes reprises. Il choisit de frapper à cet endroit. Il a cherché la brèche, et c'est Bob. Bob est un type influençable, avec du lait caillé dans le crâne. Kader l'a-t-il acheté ou flatté ? Ce n'est pas important. Vous me suivez ?

— On te suit.

— Kader enlève Nedjma avec la complicité de Bob pour la violer sur le lit même du tout-puissant, au pavillon 32, histoire de rendre coup pour coup. Manque de pot, la fille lui claque entre les pattes. Bob l'aide à se débarrasser du cadavre. Quand Kader apprend que Bob est trahi par son ADN, il panique. Il retourne au pavillon 32, liquide le valet et l'opérateur, des témoins qui pourraient le dénoncer. Toujours avec la complicité de Bob. La tuerie tourne au vinaigre : le gardien, que l'on croyait mort, a disparu. Kader et Bob courent à sa recherche, ce qui explique pourquoi Bob a été tué beaucoup plus tard. Rappelez-vous, la femme du gardien a parlé de deux diables venus la nuit mettre son taudis sens dessus dessous. J'ignore si les deux complices ont réussi à choper le gardien. Ils retournent au pavillon, et c'est là que Kader se débarrasse de Bob, file à l'aéroport et saute dans le premier avion pour l'Europe.

Guerd pose sa règle sur un pupitre, fier de son exposé.

— Si je te suis bien, lui dit Nora, Kader a tué Bob après avoir tenté de rattraper le gardien ?

— Oui.

— Les traces de sang du gardien blessé menaient à la plage. Forcément, c'est de ce côté que Kader et Bob ont dû chercher en premier lieu. Ensuite, ils ont cherché du côté de la ferme. Il a plu, cette nuit-là. La gadoue était épaisse autour de la ferme. Or, les vêtements et les chaussures de Bob ne portaient pas une seule trace de boue, pas un grain de sable.

— Il s'est sûrement changé avant de se mettre au lit.

— Bob se met au lit alors que deux cadavres sont en train de se vider de leur sang au salon ? intervient Zine, sceptique. Non, ça ne s'est pas passé tout à fait comme ça.

— Il y a des blancs dans cette histoire, reconnaît Nora, et je n'arrive pas pour le moment à les combler. Kader serait-il réellement le tueur ? Possible. Est-il impliqué dans l'enlèvement et la mort de Nedjma ? La réponse est non. Hamerlaine ignorait jusqu'à l'existence de sa propre fille, comment Kader Kacimi pouvait-il le savoir ?

— Je suis d'accord avec la commissaire, dit Zine. Pour Nedjma, il s'agit probablement d'une « méprise ». Bob conviait souvent ses conquêtes au pavillon. Il ne se doutait pas que Nedjma était la petite-fille du rboba. La partie de jambes en l'air a tourné court. Pour un paranoïaque comme Hamerlaine, il s'agit impérativement d'un complot contre sa personne, et donc contre l'État.

— Dans ce cas, pourquoi Kacimi s'est-il envolé pour l'étranger quelques heures après la tuerie ? fait Guerd.

— Qui t'a dit qu'il a quitté le pays ?

— Son nom figure sur la liste des passagers du vol AH 1515...

— Dans notre pays, lieutenant, dit Nora, on peut fournir un certificat de virginité à un tueur en série. Il suffit de casquer...

— Ou de demander, si on a les bras longs, renchérit Zine.

Le brigadier Tayeb entre dans la salle, débraillé, fourbu, mais toujours dévoué. Il porte une sacoche noire en bandoulière. Après avoir salué la commissaire en claquant des talons, il sort de la sacoche un appareil photo Canon 5D, le branche à un lecteur ; des photos se mettent à défiler sur un écran géant.

— Dix minutes après votre départ, rapporte le brigadier, Mme Kacimi a quitté son appartement pour monter dans une Mercedes noire immatriculée 0009-111-16 qui l'attendait au bas de l'avenue. Au volant, un homme d'un certain âge. Nous avons filé la Mercedes jusqu'à Fort-de-l'Eau. (Sur l'écran, les photos de la filature se succèdent.) Mme Kacimi et le monsieur (zoom sur l'homme descendant de la Mercedes) ont marché un peu sur l'esplanade. L'homme parlait, et la dame écoutait sans broncher. Ils sont restés dix minutes à Fort-de-l'Eau. Puis nous les avons perdus de vue dans un embouteillage.

— Reviens un peu sur l'homme, ordonne Guerd.

Le brigadier actionne plusieurs fois le zoom, le passe par une série de filtres jusqu'à ce que l'image atteigne une netteté acceptable.

— Mais c'est le type de l'ascenseur, s'écrie Guerd. Celui qu'on a croisé dans le hall de l'immeuble où habite Joher.

— Je n'avais pas fait attention... avoue Zine. C'est peut-être le chauffeur de son mari, ou un ami...

— Pourquoi l'avoir attendue au bas de l'avenue ? observe le brigadier. Ce n'est pas la place qui manquait sur le parking.

— Mme Kacimi ne souhaitait sans doute pas qu'on la voie avec lui, suppose Zine. Il s'agit probablement d'un amant.

Nora contemple l'écran géant en tirant lentement sur sa lèvre inférieure. Elle ne dit rien. Les trois autres policiers se taisent, espérant une réaction de leur supérieur. La commissaire se contente de hocher la tête de façon énigmatique.

— La ferme du gardien est-elle toujours sous surveillance ? s'enquiert-elle contre toute attente.

— Bien sûr, répond le brigadier. Comme il n'y a pas d'arbres aux alentours pour installer un poste de guet, nous avons placé deux agents dans une écurie désaffectée non loin de la ferme. Jusqu'à aujourd'hui, on ne nous a rien signalé. L'épouse du gardien a quitté le dispensaire une heure après son admission. Elle est rentrée directement chez elle. Elle a fait trois fois son marché dans la semaine et s'est rendue à deux reprises à la pharmacie. Elle n'a pas reçu de visite depuis qu'elle est sous surveillance.

— Bien. Il me faut maintenant identifier l'homme sur ces photos.

— Je m'en charge commissaire, se propose le brigadier en claquant des talons dans un garde-à-vous qui fait ricaner Guerd.

— Encore ? s'écrie Joher en découvrant Nora et son équipe sur le palier. Vous n'avez pas autre chose à faire ?

— Si, mais il y a des priorités. Pourrions-nous entrer deux minutes ?

Joher lève les yeux au ciel en signe d'agacement avant de s'écarter pour laisser passer les trois policiers.

— Décidément, vous choisissez le mauvais moment pour rappliquer. Je me préparais à me rendre à un gala important.

— Nous vous déposerons, si vous voulez, lui dit Nora.

— J'ai un tas de chauffeurs pour ça.

Joher préfère recevoir les policiers sur le pas de la porte. Emmitouflée dans un peignoir, les cheveux dans une serviette éponge, Madame vient juste de sortir de sa baignoire. Sans maquillage, son visage se relâche sans pour autant renoncer aux vestiges d'une beauté tenace malgré les mufleries de l'âge.

— Vous partez en voyage ? lui demande Nora en montrant du menton deux valises sous une commode dans le vestibule.

— Qui sait ?... Je vous écoute.

— Vous nous avez menti, madame.

— Sans blague.

— Nous avons vérifié votre ligne téléphonique. Vous avez reçu dix appels nationaux et aucun de l'étranger.

— Et alors ?

— Votre mari ne vous a pas appelée d'Europe.

Joher lâche un énorme soupir, pivote sur ses talons et se traîne jusqu'au salon. Elle se laisse tomber dans un fauteuil, avec une lassitude telle que son peignoir s'écarte sur son entrejambe. Elle se recouvre d'un geste dépité. Ses pommettes tremblent spasmodiquement tandis que ses yeux se remplissent de larmes.

— Quelqu'un a dit : « En Algérie, lorsque tu as un problème, c'est *ton* problème », geint-elle. J'en ai un, gros comme ça, et je dois le résoudre seule.

— Nous sommes de la police. Nous pouvons vous aider.

Joher éclate d'un rire bref et cinglant :

— La police, cette corporation gangrenée ? Je n'ai pas confiance. Je cherche à préserver la vie de mon époux. Pour ce faire, je ne dois compter que sur moi-même.

— Votre mari est soupçonné de meurtres. Croyez-vous que ça soit la meilleure façon de sauver sa tête ?

— Mon mari n'est pas un meurtrier. Et vous ignorez où vous mettez les pieds, commissaire.

— Ce sont les risques du métier. Votre mari vous a-t-il vraiment appelée ? Sinon, qui vous a parlé de ce qui s'est passé au pavillon 32 ? Rares sont ceux qui sont au courant. Même la presse l'ignore.

— Je le sais, c'est tout.

— Vous pensez que votre mari est vivant ?

Joher retrousse les lèvres sur une grimace outragée :

— Sortez de chez moi, hurle-t-elle.

— Madame, lui dit avec calme Nora, si votre mari est en danger, aidez-nous à le tirer de sa mauvaise passe.

— Mauvaise passe ? Vous appelez ça, une mauvaise passe ? Allez-vous-en. Je suis la seule capable de le sauver. Je n'ai besoin d'aucune aide.

— On vous fait chanter, n'est-ce pas ?

— Allez-vous-en, je vous en conjure. Vous ne faites qu'enfoncer davantage mon mari.

— Madame...

— Sortez ! feule Joher en se redressant de toute sa furie. Sortez ou j'appelle le ministre.

Nora dodeline de la tête. Après un dernier regard sur la dame, elle quitte l'appartement, talonnée par ses deux coéquipiers.

30.

Le divisionnaire affiche l'apaisement de quelqu'un qui a longuement broyé du noir avant de s'apercevoir que l'orage est passé. Depuis le début de l'enquête, il craignait pour son poste. Chaque rapport de la commissaire tisonnait ses angoisses. Ses antidépresseurs ne suffisaient plus. Partisan du moindre effort, il n'accordait pas trop d'intérêt aux interventions de police. Le fait divers l'horripilait autant qu'un coup de fil à l'heure de la sieste. Lorsqu'un raid était en cours, le divisionnaire s'inscrivait aux abonnés absents pour ne réapparaître qu'une fois l'opération réussie. Il était alors le premier à saisir la hiérarchie, décrivant au détail près le déroulement du raid comme s'il avait été aux premières loges. Mais quand les choses tournaient mal, il se dépêchait de faire porter le chapeau aux exécutants et réclamait à cor et à cri des sanctions exemplaires.

Aujourd'hui, c'est un homme totalement rasséréné qui reçoit Nora et ses deux compères dans son imposant bureau, au deuxième étage du Central. Il a même prévu du café et des gâteaux tunisiens pour la circonstance. La commissaire subodore, dans cette forme de générosité inhabituelle, quelque chose de malsain que le large sourire du patron n'atténue guère.

— Vous fêtez une nouvelle promotion, chef ? lui demande Nora.

— Mieux, exulte le divisionnaire, je fête la fin des tracasseries. Je vais enfin pouvoir dormir sur mes deux oreilles. Et vous aussi.

— Je n'ai pas de problème de sommeil, lui dit la commissaire.

Le divisionnaire se soulève presque sur sa chaise, incapable de contenir sa jubilation. Il annonce d'une voix tremblante d'émotion :

— Finis, les coups de téléphone purgatifs. On vient de nous retirer l'enquête.

Les trois coéquipiers tombent des nues.

— Quoi ? s'écrie Zine.

— N'est-ce pas la meilleure nouvelle de l'année ? On nous fiche la paix. Vous rendez-vous compte du poids que l'on nous enlève des épaules ?

— Pourquoi nous retire-t-on l'enquête ? demande Nora, désappointée.

Le divisionnaire dévisage ses subalternes, étonné de leur trouver une mine lugubre.

— On dirait que vous n'êtes pas contents, messieurs dames ?

— Il n'y a pas de quoi l'être, chef.

— Eh bien, moi, je le suis. Je n'ai jamais été aussi content. De votre petite fonction de subalternes, vous êtes loin d'imaginer ce qu'avoir Hamerlaine sur le dos signifie. Chaque fois qu'il m'appelait, j'avais les tripes qui fondaient comme du beurre.

— L'enquête n'est pas terminée, lui signale Guerd.

— Elle n'est plus de notre ressort, dit le divisionnaire. C'est le Contre-espionnage qui s'en charge.

— Il s'agit d'une affaire criminelle.

— Plus maintenant. C'est une affaire d'État.

— Mon œil ! s'insurge la commissaire en quittant furieusement le bureau.

Le divisionnaire est éberlué par la réaction de Nora :

— Qu'est-ce qu'il lui prend ? Elle se croit où ?

— En Algérie, monsieur, lui dit Zine en se levant à son tour. C'est-à-dire partout et nulle part à la fois.

Nora ne sait comment conjurer ses démons. Elle arpente son bureau de long en large, va se planter devant la fenêtre, le regard incendiaire comme si elle cherchait à mettre le feu à la ville, revient donner des coups de pied dans le vide. Zine et Guerd demeurent interdits sur leurs chaises, l'un fixant la pointe de ses chaussures, l'autre traquant une fêlure au plafond. Le téléphone sonne pour la énième fois – sans doute le divisionnaire qui cherche à amadouer l'équipe ; personne ne décroche.

Le brigadier Tayeb passe sa tête dans l'entrebâillement de la porte ; son enthousiasme s'estompe derechef lorsqu'il découvre les mines déconfites dans le bureau de la commissaire.

— Qu'est-ce que tu veux ? lui lance Guerd.

— C'est à propos du type à la Mercedes, celui qui est sorti hier avec Mme Kacimi. On a réussi à l'identifier. Il s'appelle Othmane Raoui, ancien repris de justice reconverti dans l'import-export. Il habite au chalet 28, parc des Œillets.

— Chalet 28 ? fait Zine. Ce n'est pas la résidence de l'ancien chef de sûreté ?

— Il l'a vendue, il y a deux ans, dit Guerd, toujours au parfum des transactions contre nature. Quel rapport entretient ce Raoui avec Mme Joher Kacimi ?

— Aucune idée, avoue le brigadier. J'ai aussi ça, ajoute-t-il en brandissant un sachet en plastique.

— C'est quoi ? demande Nora.

— Des bandages souillés de sang. Nos guetteurs des Boussadi les ont récupérés dans la décharge près de la ferme du gardien disparu. C'est son épouse qui les a jetés.

Nora lui arrache le sachet, l'ouvre sur le bureau. Avec le bout d'un crayon, elle retire les bandes auréolées de grosses taches purulentes et de traînées de mercurochrome.

— Ça alors ! s'écrie-t-elle. En route, et que ça saute.

— Pour aller où ? demande Guerd.

— À la ferme.

— Mais, on nous a retiré l'enquête, lui rappelle le lieutenant.

— Il me faut un ordre par écrit, rétorque Nora en ramassant sa veste. La parole d'un gros con ne suffit pas.

L'épouse du gardien disparu commence par sortir son numéro de femme aigrie et abandonnée, qui ne sait rien et qui n'a peur de personne. Mais lorsque Nora lui montre les pansements souillés de sang, elle suspend ses cris et ses gestes et manque de tomber à la renverse.

— C'est vous, madame, qui avez jeté ces bandes dans la décharge d'à côté, l'accule la commissaire. Ne cherchez pas à le nier. Votre maison est surveillée de jour comme de nuit. Si vous persistez à nous mentir, vous allez avoir de gros problèmes avec la justice.

Sachez que nous sommes là pour vous aider. Nous détenons la preuve qu'un blessé se terre dans cette maison. Ce blessé est votre mari. À en juger par l'état de ses pansements, il ne va pas bien, et les soins inappropriés qu'on lui prodigue n'arrangent pas grand-chose. Je vous promets, madame, de veiller personnellement sur lui. Je le conduirai à l'hôpital et mettrai des agents devant sa porte pour que personne ne l'approche.

L'épouse considère les trois policiers autour d'elle. On la sent qui lutte intérieurement contre mille appréhensions et qui n'arrive pas à trancher. Nora lui pose une main sur l'épaule pour la rassurer.

— Je vous protégerai tous les deux.

La femme tergiverse encore, puis elle se frappe les cuisses et gémit :

— De toute façon, il est très mal. S'il reste sans soins, il ne survivra pas.

La cache se trouve dans une chambre sommairement meublée au fond du couloir, derrière une cheminée datant de l'époque coloniale et dissimulée sous un faux muret qu'on peut retirer sans peine. Zine dégage l'ouverture. Un trou mène vers une sorte de basse-fosse. On y accède à quatre pattes ; une fois de l'autre côté, on peut tenir debout et à plusieurs. C'est une vieille planque qui avait accueilli nombre de maquisards durant la guerre de l'Indépendance et un tas de terroristes pendant la guerre contre les GIA. Guerd passe le premier, suivi de Nora et de Zine. Une lanterne brûle, accrochée à une poutrelle. Sur une paillasse ébouriffée gît un spectre décharné ; c'est Ammi Messaoud, le gardien. Il porte un bandage grossier autour de la poitrine. Dans la lumière anémique de la lampe à pétrole, son visage présente un aspect cadavérique. Il remue faiblement, intrigué par les bruits qui se déclarent dans la pièce. Sa femme s'accroupit à son chevet, lui prend la main et la serre contre son cœur.

— C'est la police, Messaoud. Tu es sauvé.

— Bonjour, monsieur. Je suis la commissaire Nora. J'étais venue au pavillon...

— Je vous reconnais, madame, chevrote-t-il. Je jure que je n'ai rien fait. Je ne comprends pas pourquoi M. Baz m'a tiré dessus. Je ne lui ai jamais manqué de respect et je lui ai toujours obéi. Pourquoi m'a-t-il tiré dessus ?

Nora est ébranlée. Le vieillard délire-t-il ?

— Vous êtes sûr que c'est Baz qui vous a agressé ? fait-elle pour s'assurer qu'elle a bien entendu.

— Et comment ! J'ai pensé qu'il allait me donner des instructions. Mais non, il a sorti un pistolet et m'a logé une balle dans l'aine. Heureusement qu'elle est sortie par-derrière, la balle. Je me demande où j'ai fauté au point de mériter la mort. M. Baz était gentil avec moi. Quelqu'un lui aurait-il menti à mon sujet ? Qu'est-ce qu'on a bien pu lui raconter pour qu'il me poursuive jusque chez moi afin de m'achever ? J'ai reconnu sa voix pendant qu'il débitait des grossièretés et des blasphèmes contre ma femme, l'autre nuit.

— Calmez-vous, monsieur. On va appeler une ambulance pour vous conduire dans un endroit sûr où l'on vous soignera.

— J'ai jamais rien volé au pavillon.

— Vous n'avez plus rien à craindre maintenant. Racontez-nous ce qui s'est passé, cette nuit-là.

— Rien. Il ne s'est rien passé. M. Kacimi est arrivé,

puis il est parti avec Bob. Ensuite, M. Baz s'est amené et m'a tiré dessus sans raison.

— Et pour les trois autres employés ?

— Quoi, les trois autres employés ?

— On a tué le valet et l'opérateur avant d'assassiner Bob.

— On a tué Mabrouk ? Pourquoi ? C'était un gars formidable, et gentil comme tout.

Nora le laisse récupérer. Le vieil homme s'est épuisé à force de s'agiter. Zine s'empare de son émetteur pour appeler une ambulance.

— Ça va aller, dit Nora au vieillard.

— Mais pourquoi il m'a tiré dessus ? gémit le gardien. Ça fait des jours que je me pose la question et je n'ai toujours pas de réponse.

— On la trouvera, lui promet Nora. Vous étiez au pavillon, la nuit du 23 décembre ?

— J'y suis à plein temps, madame.

— Il y a à peu près un mois, Bob a fait venir une jeune fille à la résidence.

— Bob en ramène presque toutes les nuits, mais le 23 décembre, c'était l'anniversaire de haj Hamerlaine. Il y avait un monde fou à la résidence. On ne savait plus où ranger les voitures.

Nora fronce les sourcils.

— Hamerlaine était là ?

— Puisqu'on célébrait son anniversaire. Haj Hamerlaine fête chaque année son anniversaire au pavillon. Il y avait de la musique et des buffets. Les gens s'amusaient. Puis ils sont tous partis vers minuit parce que le patron était fatigué.

— Hamerlaine est parti, lui aussi ?

— Je ne l'ai pas vu. Je suis resté dans ma guérite toute la soirée.

— Et la jeune fille, elle était avec les fêtards ?

— Laquelle ? Il y en avait beaucoup, mais elles étaient toutes rentrées chez elles.

— Bob a fait venir une jeune fille, cette nuit-là.

— Oui, mais plus tard, lorsque le beau monde était parti. Bob n'oserait pas faire venir une fille à la résidence si le patron était là.

— Il était peut-être là.

— Je ne peux pas vous dire. Je n'arrive pas à comprendre pourquoi Baz m'a tiré dessus, repart-il dans son délire. J'ai toujours été obéissant, moi. Je me tenais à carreau.

Nora tente de le faire revenir sur la nuit du 23 décembre, mais le vieillard brûlant de fièvre continue de divaguer.

— À quoi tu joues ? braille le divisionnaire en s'engouffrant telle une bourrasque dans le bureau de la commissaire.

— Aux prolongations, lui rétorque Nora. Le match n'est pas terminé. Nous avons un témoin capital. Le gardien du pavillon 32. Il a été blessé, mais son pronostic vital n'est pas engagé.

— Espèce d'imbécile. Tu veux briser nos carrières ou quoi ? C'est de Hamerlaine qu'il s'agit, putain !

— La loi vaut pour tout le monde.

— Hamerlaine est un autre monde.

— Il ne me fait pas peur.

— Si ça t'amuse. Sauf que tu n'es pas seule dans cette histoire. Il y a moi, le préfet, le chef de sûreté, le...

— C'est *mon* enquête, et je la mènerai jusqu'à son terme.

Le divisionnaire rappelle maintenant un taureau estoqué dans l'arène. Les narines dilatées, on dirait qu'il est en train de rendre l'âme.

— L'affaire n'est plus de notre ressort. J'ai été très clair, hier.

— Vous n'êtes pas le chef de sûreté.

— Je suis ton chef direct.

— L'enquête dépasse vos prérogatives, monsieur le divisionnaire. Il ne s'agit pas de chiens écrasés, mais d'une tuerie. Trois hommes morts, un blessé, et deux disparus. Baz n'a plus donné signe de vie depuis quelques jours...

— Ça suffit ! rugit le divisionnaire. Tu sais comment on appelle ton attitude ? In-su-bor-di-na-tion. Le conseil de discipline ne te fera pas de cadeau, je te préviens. Pour le moment, je t'interdis de quitter le Central sans mon autorisation et, après les heures de travail, tu es consignée chez toi jusqu'à nouvel ordre.

— Je veux un ordre écrit et signé par le chef de sûreté.

— Tu me prends pour une voie de garage ?

— Juste pour ce que vous êtes, monsieur le divisionnaire : un larbin qui perd les pédales dès qu'il entend ses maîtres se racler la gorge.

Le divisionnaire s'arc-boute de toute sa carcasse contre le bureau de la commissaire, aussi tumultueux qu'un sac rempli de bruit et de fureur.

— Un larbin ? Moi, un larbin ? Eh bien je vais te montrer de quel bois se chauffe un larbin, petite garce coincée. Je te ferai bouffer du chardon et arpenter les trottoirs jusqu'à ce que tes talons aiguilles te sortent par les mollets.

— Dans ce cas, il faut faire vite, patron. Parce que moi, j'en toucherai deux mots à la presse. Je leur dirai qui commande dans la police et pourquoi tant d'affaires restent sans suite et tant de crimes impunis.

— Est-ce une menace ?

— Une promesse, et, flic ou catin, je tiens toujours parole.

Le divisionnaire balaie du bras la paperasse qui traîne sur le bureau de Nora et s'en va, tornade montée en puissance, hurler dans les couloirs.

Le lendemain, Othmane Raoui trouve une enveloppe sous sa porte, au chalet 28. À l'intérieur, deux photos grand format, l'une montrant la commissaire Nora sanglée dans son uniforme de cérémonie, l'autre Sonia accoudée à un bar.

Sur une fiche cartonnée jointe aux deux photographies, une main inspirée a écrit :

« La brune est flic au Central d'Alger. La blonde fréquente Le Mimosa. Elles baisent ensemble, et on veut voir ça. Urgence signalée. »

Othmane se sert un verre et revient étudier de plus près les deux photos.

31.

Cela fait deux bonnes heures que Sonia poireaute au bar de l'hôtel Mimosa. Juchée sur un haut tabouret, elle tambourine sur le comptoir, un œil lorgnant sa montre, l'autre la porte vitrée donnant sur le hall. Le barman lui a proposé un verre, histoire de la déstresser, elle l'a refusé.

Quelques clients papotent çà et là en tirant sur de gros cigares, la veste écartée par une bedaine gargantuesque, la calvitie aussi polie qu'un galet et tout aussi impénétrable. Ils parlent affaires et alliances, projets foireux d'avance et magouilles en perspective, et ils rigolent en rotant comme des ogres fatigués. L'un d'eux, le plus moche et donc le plus audacieux, après avoir maté Sonia, s'est approché d'elle pour l'inviter à sa table ; elle l'a rabroué sans ménagement.

Lorsque Sonia est en manque, elle ne voit ni les risques qu'elle prend ni les opportunités qu'elle loupe. Elle n'a d'yeux que pour les aiguilles de sa montre et pour le hall. Chaque minute qui passe lui marche dessus. Sonia guette son fournisseur comme une bigote l'apparition de la Vierge.

Le dealer tarde à se manifester. Il devait être au rendez-vous à 10 heures, sauf qu'il n'a précisé ni le jour ni le mois. C'est une culture, au pays. On n'est jamais à l'heure, et jamais au bon endroit. Lorsqu'on rappelle au téléphone, personne ne décroche. On peut laisser sonner jusqu'à court-circuiter la batterie, on n'a même pas droit à une messagerie en guise de compensation.

Sonia soupire, se trémousse sur son siège, se gratte la tempe, se ronge les ongles ; elle crève d'envie de boire un verre, mais elle n'a pas un radis. À part un peigne édenté, un bâton de rouge à lèvres, des mouchoirs en papier, les clefs de l'appart et le portable, son sac à main découragerait le dernier des voleurs à la tire.

Elle sort son cellulaire, laisse sonner sans arrêt, en vain.

— Ne vous fatiguez pas, mademoiselle, lui dit le barman. Les iPhone et dérivés n'ont pas la cote chez nous. Au bled, ce qui marche à fond, c'est le téléphone arabe.

Il lui propose de nouveau un verre :

— C'est moi qui offre.

— J'n'en veux pas. Je te l'ai déjà dit.

— Faites pas de chichi. Ça fait dix piges que je bosse au bar, je sais quand les clients ont soif, en particulier ceux qui sont sur la jante.

— Je ne demande pas la charité, crisse Sonia, horripilée par le sans-gêne du jeune homme.

— C'est pas de la charité, c'est de la solidarité. Les mauvaises passes, tout le monde y a droit. Que l'on soit plein aux as ou fauché à ras, on a tous besoin d'un coup de main un jour ou l'autre.

— J'ai besoin qu'on me fiche la paix, aujourd'hui.

— Il y a un comptoir entre vous et moi, mademoiselle. Je ne vous agresse pas. Je veux juste vous aider à tenir le coup. Depuis tout à l'heure, vous stressez grave. Vous risquez de choper une apoplexie si vous continuez de vous « encrer » le sang.

Sonia fixe le verre. Puisant du cran dans le sourire bon enfant du barman, elle accepte l'offre et, d'un geste d'escamoteur, s'envoie une rasade.

— Bien, dit le barman. Faut pas se prendre la tête. La vie, c'est pas sérieux.

— Ce n'est pas commode, non plus, lui rappelle Sonia.

— Tout dépend sous quel angle on voit les choses. Moi, je pars du principe que rien ne vaut la peine. Il faut prendre ce qu'il y a, et c'est tout. Pas besoin de se compliquer l'existence. Chaque jour est vierge. Il se lève au p'tit matin, blanc comme neige, et le soir, il est tout noir de nos misères. On a beau se soûler la gueule ou cumuler les prières, le lendemain, c'est toujours nos malheurs qui l'emportent sur la lumière.

— Tu comptes m'embobiner avec les théories que tu tires des bouquins, beau gosse ?

— Je suis poète, mademoiselle.

— Mon cul ! On me sort souvent des envolées comme ça pour m'endormir. Paraît que ça fait classe et que ça marche avec les fausses blondes constipées. J'suis pas de ce genre, moi. J'ai jamais lu un seul bouquin et j'ai horreur des blancs-becs qui se la jouent cultivés. Et crois-moi, tu me soûles plus vite que le verre que tu viens de m'offrir...

— Dommage, fait le barman en retournant à ses occupations.

Un jeune homme replet apparaît derrière la porte vitrée. C'est le dealer. Il jette un rapide coup d'œil sur le bar et file vers les toilettes au bout du hall. Sonia ramasse son sac et court le rattraper.

— Tu es tombé en panne ?

Le jeune homme inspecte d'abord derrière les portes des cabinets avant d'extirper un petit sachet :

— C'est de la coke premier choix, ma belle. Tu vas planer plus haut que les étoiles. Aboule le fric et casse-toi. Je suis pressé.

— Je paie comme d'habitude.

— Pas cette fois, poupée. J'ai pas de capote sur moi. Le fric, vite.

— Tu l'auras demain.

— Demain reste à inventer. Tu casques ou je me barre.

— Je t'en supplie, Toufik. J'ai toujours été réglo avec toi. Il me faut ma dose, sinon je suis fichue. (Elle se met à genoux devant lui.) Je te promets...

— Lève-toi, bordel. Je déteste que l'on se jette à mes pieds. J'ai l'air con d'un arbre-marabout. Lève-toi, je te dis... Demain, sans faute...

— Demain, je le jure, chevrote Sonia, fébrile.

Le dealer lui remet le sachet qu'elle glisse dare-dare dans son sac.

— Qu'est-ce que vous fabriquez là-dedans ? tonne un gorille emmuré dans un costard noir, son oreillette de vigile en exergue.

Le dealer s'esquive en contournant l'agent de sécurité. Ce dernier ne cherche pas à l'arrêter, il toise la fille interdite contre un pissoir.

— Vous n'avez pas vu la signalisation sur la porte, madame. C'sont les W.-C. pour hommes. Y a même un dessin pour les illettrés.

— J'n'ai pas vu la signalisation, monsieur.

— Vous êtes dans un hôtel de luxe et non dans un hôtel de passe, madame.

— Je ne fais rien de méchant.

— Vous racolez.

— Mais pas du tout. J'suis juste venue me rafraîchir... Le directeur est un ami, hasarde Sonia. Demande à Brahim. Il me connaît.

— Brahim est en taule. Y a une nouvelle équipe et un nouveau patron maintenant. Les mauvaises habitudes, c'est fini.

Il la plaque face au mur, la neutralise avec un bras ; de l'autre main, il fouille le sac et tombe sur le petit sachet blanc.

— Rien de méchant ? grogne le vigile. De la coke. Ça va chercher dans les dix balais, madame.

Sonia tente de négocier. Le vigile ne veut rien entendre. Il lui tord le bras, la conduit manu militari dans un bureau au premier étage où un escogriffe feint de consulter des dossiers. Il lève la tête ; c'est Othmane Raoui.

— J'ai surpris cette dame dans les toilettes pour hommes, monsieur le directeur de sécurité, dit le vigile d'un ton martial. Et j'ai trouvé ça dans son sac, ajoute-t-il en posant le petit sachet sur la table.

Othmane Raoui chasse le vigile, dévisage Sonia, un sourire reptilien sur les lèvres. Il la laisse mariner dans un silence interminable, puis, la sentant sur le point de s'effondrer, il lui désigne une chaise.

— Les choses ont changé à l'hôtel, mademoiselle. Des mesures draconiennes ont été introduites pour rendre leur respectabilité et au palace et à la clientèle. Nous avons déjà expédié en prison pas mal d'indélicats et nous ne comptons pas nous arrêter là. Je suis désolé, la tolérance zéro doit être appliquée. C'est la seule condition pour assainir l'établissement. (Il s'empare du téléphone.) J'appelle le parquet. Vous serez transférée devant le juge et écrouée aujourd'hui même.

— On peut toujours s'entendre, non ? couine Sonia. L'ancien directeur...

— Il est en prison, la coupe Othmane. Parce qu'il s'entendait trop facilement avec n'importe qui. (Il repose brusquement le combiné.) J'ai l'impression de vous connaître.

Sonia croit saisir la chance de sa vie.

— C'est possible.

Othmane se prend le menton entre le pouce et l'index pour la remettre.

— Où est-ce qu'on s'est déjà vus ?

— Peut-être à un gala de charité.

— J'y vais jamais.

Sonia défait le haut de son chemisier et commence son opération de séduction.

— Ce n'est pas nécessaire, lui dit Othmane. Je vaux plus qu'une coucherie... (Soudain, il la pointe du doigt.) Attendez, vous n'êtes pas la petite amie de la commissaire Nora ?

Sonia blêmit.

Othmane feint de se creuser la mémoire. C'est évidemment lui qui a conçu ce simulacre d'interpellation. Il ne travaille pas à l'hôtel, mais il y a ses entrées. Cela fait quatre jours qu'il file Sonia pour la piéger.

— Je préfère finir au poste, avoue Sonia. Ces derniers temps, Nora crache le feu.

— Rassurez-vous, je ne vais pas la déranger... C'est vrai c'qu'on raconte ?

— Faudrait que je connaisse l'histoire d'abord.
— Que vous couchez ensemble.
— Et alors ? Vous nous espionnez ?
— Disons que la commissaire nous intéresse de très près.
— C'est elle qui est gouine, pas moi.
— Dans ce cas, on pourrait peut-être s'entendre.
— C'est vous qui voyez.
Othmane sort d'un tiroir une sacoche en cuir, l'ouvre sur le bureau. Sonia manque de s'étrangler devant les liasses de billets de banque flambant neufs.
— Il y a, là-dedans, cinquante mille euros. Ils sont à vous.
Sonia a les yeux qui biglent. Jamais de sa vie elle n'a vu une somme pareille. En euros, c'est à peine si elle ne se pince pas. Toute sa figure est tendue, la respiration bloquée. Elle croit halluciner.
Othmane pousse lentement du bout des doigts la sacoche vers la femme.
— Vous croyez les mériter ?
— Ça dépend de ce que vous allez me demander, monsieur le directeur. Mais à ce prix, je me surpasserai.
Othmane allume un cigare, évacue la fumée par les narines sans quitter la femme des yeux. À son regard, on sent qu'il a mis le doigt sur la bonne touche. Il dit :
— Nous avons un projet immobilier qui nous tient à cœur. Il est à l'arrêt parce que la commissaire nous met des bâtons dans les roues.
La convoitise de Sonia accuse le coup.
— C'est une tête de mule, dit-elle avec amertume. Elle croit encore à l'enfer et au paradis. Quand il est

question de son boulot, elle ne lâche rien. Elle a failli me lyncher une fois lorsque je lui ai demandé de faire sauter la contravention à un voisin.

— On ne cherche pas à la corrompre. On a essayé et ça n'a pas marché. On veut juste qu'elle nous oublie. À cause d'elle, le projet accuse un an de retard, et nos créanciers nous bouffent crus.

Sonia se creuse la tête en salivant sur les liasses étalées sous ses yeux.

— Elle ramène parfois des documents à la maison, suggère-t-elle. Je ferai des photocopies pour vous... je suis même prête à vous livrer les originaux. De toute façon, cette femme me soûle. Elle me séquestre parce que je n'ai pas où aller et que je suis fauchée.

— Les documents ne nous intéressent pas.

— Je ne vois pas comment je peux vous aider.

— Il y a d'autres moyens. Vous couchez bien ensemble, non ?

— Oui.

Othmane pousse de quelques centimètres la sacoche.

— La police ne serait pas fière si elle l'apprenait.

Sonia laisse glisser ses doigts vers le pactole ; Othmane la devance et tire la sacoche vers lui.

— Vous voulez que je témoigne contre elle ?

— Nous ne tenons pas à en arriver jusque-là. Nous cherchons juste à lui forcer la main. Si elle apprenait que nous savons qu'elle couche avec vous, elle consentirait à lever le pied et à nous fiche la paix. C'est elle qui bloque notre dossier.

— Je vous dis que je peux témoigner contre elle, insiste Sonia.

— Ce serait votre parole contre la sienne, et la

police préférerait la croire elle pour éviter le scandale. Ce qu'il nous faut, ce sont des preuves.

Sonia se remet à réfléchir vite, mais la vue des liasses la perturbe.

— Vous voulez nous surprendre en flagrant délit ? Je suis d'accord. Je laisserai la porte déverrouillée et, à mon signal, vous débarquez et vous nous prenez en photo.

— Trop risqué. Il n'y a que dans les films de série B que ça fonctionne.

— Dites-moi ce que je dois faire. Je suis partante d'office.

— Vous filmer pendant que vous êtes en train de vous envoyer en l'air.

Sonia accuse un soubresaut.

— Ce n'est ni pour YouTube ni pour la presse, la rassure l'escogriffe. Juste pour notre strict usage personnel. D'ailleurs, nous n'avons pas intérêt à ce que l'on sache que nous faisons chanter un fonctionnaire de police. Nous y avons plus à perdre qu'à gagner. Une fois le projet relancé, nous détruirons le film, je vous le promets. Et après, ni vu ni connu.

— Et moi ? Vous croyez qu'elle va m'applaudir.

— Nous ne vous laisserons pas tomber. Nous pouvons vous procurer un visa pour l'étranger et vous trouver un poste dans nos entreprises internationales.

— Vous feriez ça pour moi ?

— Juré...

Sonia s'apprête à ramasser la sacoche, Othmane l'arrête de la main.

— Pas si vite. Vous êtes partante ?

— Et comment ! Je suis prête à tout pour foutre le camp de ce pays.

— Très bien. Vous aurez l'argent quand vous me remettrez le film. Vous avez un passeport ? Apportez-le-moi demain. Pas ici, mais dans un endroit que je vous indiquerai. Je vous donnerai un téléphone plus sûr... Vous me direz quand vous êtes prête. Quelqu'un viendra installer des caméras sophistiquées dans votre chambre dès que possible.

— Je peux avoir au moins la moitié du fric maintenant ?

— Dans notre métier, c'est donnant-donnant. On ne sait jamais, vous risquez de changer d'avis à la dernière minute.

— Moi, changer d'avis ? Vous n'imagineriez même pas jusqu'où je peux aller pour changer de vie, s'exclame Sonia, les yeux plus grands que le ventre, plus grands que la Terre et tout ce qui se tient dessus.

32.

Le Central évoque un bien vacant squatté par les esprits frappeurs. On perçoit des pas dans les couloirs, des portes qui grincent, des ombres qui rasent les murs, mais pas un rire ni l'écho d'une voix.

Les ordonnances arrivent, déposent leur courrier sur les bureaux et s'éclipsent sans un mot, sans un regard.

Aux guichets, les contribuables sont pressés d'en finir avec les procédures, frustrés par la gueule compacte que les agents arborent. Les cendriers débordent de mégots et les tasses de café sont vides. Une atmosphère malsaine pollue les étages.

Tout le monde est au courant de la prise de bec qui a opposé le divisionnaire à la commissaire.

Lorsque le chef boude quelqu'un, il s'arrange pour que l'ensemble du personnel trinque. Les premiers jours, les sanctions pleuvaient pour un oui ou pour un non, les demandes de congé se faisaient rejeter sans justification et personne n'avait intérêt à rouspéter. Puis les abus se sont mués en une bouderie asphyxiante, et les rares boutades, qui rendaient le siège moins éprouvant, ont cédé la place à une gêne contagieuse. Depuis dix jours, on n'ose plus approcher Nora pour ne pas offenser le divisionnaire, et cette mise en quarantaine forcée a détérioré l'ensemble des relations internes.

Zine a retrouvé l'étroitesse de son cagibi, sa Thermos et le portrait de Mandela sur le mur. Il arrive le matin avec une tête grosse comme une citrouille, émarge les registres de permanence en quelques minutes, et le reste de la journée, il se tourne les pouces. À la cantine, hormis le tintement des fourchettes, on a le sentiment de perdre son temps. Lorsque arrive l'heure de rentrer chez soi, les fonctionnaires quittent le commissariat sur la pointe des pieds, pareils à des déserteurs, sans se dire au revoir.

Zine est le dernier à s'en aller. Il reste dans le hall, à côté des guichets, à faire semblant de consulter les registres. En réalité, il espère croiser Nora afin de la saluer et de lui prouver ainsi qu'il est de son côté. Mais la commissaire ne se montre nulle part. Elle s'enferme dans son bureau, puis, on ne sait comment, elle n'est plus là.

Dix jours que ça dure, et l'inspecteur n'en peut plus. Lorsqu'il comprend qu'il poireaute inutilement, il saute dans sa guimbarde, va chez Mounir chercher sa ration de cannabis et regagne son domicile. Il se douche, enfile son survêtement frappé aux couleurs du Mouloudia, met un CD de Mohamed Rouane et, tassé dans son fauteuil pelé, il se laisse absorber par les saloperies opiacées de son joint. Il ne regarde même plus la télé.

Un jeudi soir, son téléphone vibre. Sur l'écran, il lit : « Je suis à Notre-Dame. Si tu n'as rien à faire... Nora. »

Zine s'habille et prend la route qui mène sur les hauteurs d'Alger. Une circulation anarchique ronge les rues escarpées de Saint-Eugène. Zine met une quarantaine de minutes pour atteindre Notre-Dame d'Afrique. Un petit groupe de touristes, appareil photo en bandoulière, gravite autour de la basilique. Des gamins tapent dans un ballon au milieu de la cour du promontoire. La voiture de Nora est garée dans un coin, le capot contre le muret. Zine se range à sa droite et rejoint la commissaire qui se penche sur le côté pour lui ouvrir la portière.

— Je ne t'ai pas dérangé ?

— J'avais besoin de prendre l'air, la rassure l'inspecteur.

En contrebas, on peut voir le cimetière de Bologhine, la mer, les maisons qui s'étagent sur la colline et les bateaux en rade. La nuit n'est pas tout à fait tombée que déjà les lampadaires s'enflamment, probablement pour conjurer le sort.

Alger est un bûcher en quête de martyr, pense Nora. Son phénix bat de l'aile, piégé sur son perchoir carbonisé, et ses cendres sont stériles.

— Ça va ?

— Je tiens le coup, dit Nora.

— Tu as des infos sur la date du conseil de discipline ?

— Il n'y aura pas de conseil de discipline. Le divisionnaire bluffe. Il cherche à m'intimider, c'est tout. Ce n'est qu'une chiffe molle qui tonitrue pour se faire entendre et qui se couche quand elle s'essouffle.

— C'est vrai que tu as fait une demande de mutation ?

— C'est ce qu'on laisse courir pour m'évincer. Je n'ai aucune raison d'aller voir ailleurs. Je suis bien à Alger.

Zine s'allume une cigarette, baisse la vitre pour souffler la fumée au-dehors. Le ciel est pavé de nuages ; une petite bruine commence à crachoter sur le pare-brise.

— On s'est servi de Kader Kacimi pour nous dérouter, dit soudain Nora. Il n'est qu'un attrape-nigaud.

— Dans ce cas, pourquoi a-t-il quitté précipitamment le pays ?

— Il n'a pas quitté le pays. Le gérant du salon VIP de l'aéroport affirme ne pas l'avoir vu, ce matin-là.

— Et la liste des passagers ?

— Ce n'est pas celle de l'embarquement. Le nom de Kacimi ne figure pas sur cette dernière... Si on nous a retiré l'enquête, c'est parce que nous n'avons pas mordu à l'hameçon.

— Tu ne crois pas à la version de la hiérarchie ?

— Tu parles ! Cette histoire de main de l'étranger ne tient plus la route. On nous bassine avec depuis l'Indépendance. À la longue, ça use. Il n'y a qu'une personne assez folle pour s'attaquer à Hamerlaine : Hamerlaine lui-même.

— Tu penses que c'est lui qui tire les ficelles ?

— Pas toi ? Tout a commencé au pavillon 32, et il était là. Qui avait intérêt à se débarrasser des témoins de ce qui s'est passé cette nuit-là ? Et Baz, où est-il, d'après toi ? Du jour au lendemain, il s'est volatilisé. Ni traces ni testament. Il est certainement en train de pourrir au fond d'un puits ou bien dans une forêt... Et le gardien ? Figure-toi qu'on l'a transféré dans une autre clinique.

— Je suis au courant.

— Pourquoi l'a-t-on isolé ? Pour le cacher ou bien pour le faire taire à jamais ?

Zine ne répond pas.

Nora étreint son volant, les mâchoires crispées :

— J'ai tourné et retourné les hypothèses sous toutes les coutures, le résultat débouche invariablement sur le cadeau d'anniversaire.

— Mais c'est Hamerlaine qui nous a parlé le premier de son anniversaire. S'il se reprochait quelque chose, il se serait tu.

— C'est un malin. Il savait qu'on allait finir par le savoir et il nous a devancés pour se mettre au-dessus de tout soupçon. La nuit du 23 décembre, les convives partis, Bob lui a apporté la cerise qui manquait sur le gâteau : Nedjma.

— Impossible. C'était sa petite-fille.

— Il l'ignorait. Rappelle-toi comment il a réagi lorsque tu lui as posé la photo de Nedjma sur la table. Il a eu un tel choc qu'il a failli en clamser. Pourquoi ? Parce qu'il venait d'identifier son cadeau d'anniversaire...

— Je reconnais que sa réaction à la vue de la photo m'a fortement interloqué.

— C'est là qu'il s'est trahi, Zine. Il ne s'y attendait pas le moins du monde. Il ignorait tout de sa fille et, naturellement, tout de sa petite-fille. Tu mesures la catastrophe lorsqu'il s'est rendu compte que sa proie était sa propre progéniture ?... On devrait se pencher sur le cas des filles disparues le 23 décembre des années précédentes. Je suis certaine que ce malade n'en est pas à son premier méfait...

— Mme Kacimi dit que Hamerlaine est impuissant sexuellement.

— J'ai lu une histoire dans la presse autrefois. Un rajah hindou mangeait le cœur des vierges qu'on lui offrait parce qu'il ne pouvait pas les déflorer.

Zine écrase sa cigarette dans le cendrier de bord. Il est embarrassé :

— Qu'est-ce qu'on fait ? demande-t-il d'une voix atone.

— Notre boulot. La loi est la même pour tous.

— On n'est plus dans le coup.

— On y est jusqu'au cou, Zine. C'est nous ou lui. Est-ce que tu es avec moi ? Tu n'es pas obligé et je ne t'en tiendrai pas rigueur. Moi, je ne lâcherai pas prise. Avec ou sans l'aval de la hiérarchie, je mènerai mon enquête jusqu'à son terme. Je n'ai pas l'habitude de me défiler lorsque ça se gâte. Ce fumier doit payer... Alors, qu'est-ce que tu décides ?

Zine tire sur son nez en réfléchissant. Il sent le regard de la commissaire l'embaumer en entier. Après un long silence, il lâche :

— Tu n'as aucune preuve de ce que tu avances.

— Je les trouverai.

— Comment ?

— En continuant de chercher. Alors ?

Zine met une éternité avant de hasarder d'une voix à peine audible :

— Je marche avec toi.

— Bien, se détend la commissaire. Ça reste entre nous deux. Guerd ne doit rien savoir. Je n'ai pas confiance en lui... Je n'ai pas, non plus, besoin de te signaler que le terrain est miné. C'est d'un cacique de premier ordre qu'il s'agit. Hamerlaine ne reculera devant rien s'il est acculé. D'autres, avant nous, se sont frottés à lui et se sont retrouvés sans un bout de chair sur les os.

Zine ne dit plus rien.

33.

Ce n'est qu'en retournant chez lui que l'inspecteur Zine prend conscience du caractère suicidaire de son engagement. Qu'est-ce qui lui a pris d'accepter ? Qu'espère-t-il lever comme gibier en secouant du vent ? L'enquête leur a été retirée. Avec qui et au nom de quoi vont-ils la poursuivre ? Aucun flic ne prendrait le risque de les épauler. Nora et lui seront seuls face à tous les dangers, avec, à la clef, l'assurance de finir dans une merde si épaisse que les mouches répugneraient à les approcher.

Zine est furieux contre lui-même. Il n'aurait pas dû fonctionner à l'affectif. C'est vrai, il a du respect pour Nora, mais de là à s'engouffrer derrière elle dans un incinérateur géant les yeux fermés !...

À plusieurs reprises, il s'est emparé du téléphone pour appeler la commissaire et lui dire qu'il n'était plus preneur, qu'il a réfléchi et que ce n'était pas une bonne idée ; pas une fois il n'est parvenu à composer son numéro.

Zine a beau téter son joint, il ne décolle pas. Les partitions de Mohamed Rouane ne font qu'aviver son malaise.

Debout contre la fenêtre, il tente de disperser ses pensées à travers les ruelles désertes. Alger ne lui tendrait pas la perche. C'est une ville autiste ; tapie dans le noir, elle fait celle qui n'est là pour personne.

Les propos de Joher lui reviennent dans un essaim compressé : « En Algérie, quand tu as un problème, c'est *ton* problème. » Elle n'avait pas tort, Mme Kacimi. Elle aussi a disparu. Elle a bouclé ses valises et sauté dans un avion pour Bruxelles.

Nora s'entête par dépit, admet l'inspecteur. Elle n'est pas de taille, et aucun avion ne serait là pour elle si les choses se compliquaient.

Zine se laisse choir sur son lit geignard. Non, se dit-il, ce n'est plus mon problème. Je ne suis ni prophète ni justicier hors norme, juste un subalterne qui obéit aux ordres ; dans cette affaire, les ordres sont catégoriques : l'enquête n'est plus du ressort de la Criminelle.

Demain, sans faute, il ira voir Nora pour la ramener à la raison. Elle ne peut pas en faire qu'à sa tête – si toutefois il lui en reste un bout. Et puis qu'a-t-il à gagner, lui, à part un blâme claironnant, des arrêts de rigueur et une radiation du corps de la police. Il fera quoi, *après* ? Taxi clandestin, videur de tripot, dealer ? Encore faudrait-il qu'on lui fiche la paix. Combien de flics ont touché le fond au moment où ils ont cru s'acquitter loyalement de leur devoir ? Que sont-ils devenus ? Des fantômes égarés... ici-bas ou ailleurs, quelle importance ?

Nora est restée longtemps au pied de la basilique, après le départ de Zine, à se demander si elle n'avait pas eu tort de forcer la main à l'inspecteur en l'impliquant dans une histoire à l'issue incertaine. Elle a bien senti qu'il a dit oui du bout des lèvres.

Mais elle a besoin de lui.

Seule, elle n'ira pas loin.

Elle sait qu'on a plus de chances de déboulonner le colosse de Rhodes que de chatouiller la plante du pied de Hamerlaine, cependant elle refuse de jeter l'éponge. La loi est faite pour les grands et les petits. C'est pour cette raison qu'elle s'est engagée dans la police. Elle s'interdit de ne botter le derrière qu'au menu fretin. Depuis sa plus tendre enfance, elle croit dans la justice sans laquelle aucune société ne serait à l'abri. Elle a vu tant de valeureux collègues tomber dans des embuscades terroristes ou sous les balles des malfrats ; tous ont laissé qui une veuve et des orphelins, qui des familles inconsolables tandis que les Hamerlaine continuent de sévir. Lorsqu'elle avait prêté serment le jour de la sortie de sa promotion, son cœur avait cogné plus fort que ses cris. Elle y croyait, ce jour-là, et ne voit pas comment ne plus y croire après ce que son pays a enduré.

La nuit est tombée.

Les gamins rentrés chez eux, la courette de Notre-Dame fait grise mine sous la pluie.

Hormis un gardien dépareillé qui s'apprête déjà à piquer un somme sur le parvis de la basilique, tout le monde est face à la télé puisque la ville a été dépossédée de l'ensemble de ses loisirs.

Le sort en a décidé ainsi...

Alger l'a dans l'os, mais elle ne crie pas, se dit Nora. Elle n'aurait pas dû mettre au clou sa ceinture de chasteté en misant sur la baraka de Sidi Abderrahmane plutôt que sur de bons projets. Maintenant que le marabout a été déposé par les fabulateurs, que va-t-elle dire au prêteur sur gages ? Qu'elle s'était trompée de placement ? On l'avait prévenue pourtant, les paramètres étaient dans le rouge, mais Alger n'a pas voulu voir ni écouter et ne doit s'en prendre qu'à elle-même.

Nora met en marche sa voiture et descend vers Bologhine. Sans but précis. Elle traverse une multitude de quartiers, tourne en rond en quête d'un resto. Pas une gargote ne veille. Elle achète du pain, du fromage et des sodas dans une épicerie miraculeusement ouverte.

Il est 23 heures passées lorsque Nora franchit le seuil de son appart plongé dans le noir. Elle allume dans le vestibule, jette un coup d'œil dans la chambre ; le lit est défait, un abat-jour traîne par terre, la table de chevet est renversée contre le sommier... *Sonia s'est encore shootée grave, ce soir*, songe-t-elle en bifurquant vers la cuisine.

Nora pose ses paquets de provisions à côté de l'évier où deux assiettes attendent d'être nettoyées, retourne dans le vestibule.

La télé est en marche dans le petit salon, mais Sonia n'est nulle part.

Sur l'écran de la télé, une scène *hard* se déroule. Nora tique. Jamais elle n'a surpris Sonia en train de regarder un film porno. Soudain, la commissaire se fige : les deux femmes nues en train de faire l'amour, là, sur l'écran, l'une brune et l'autre blonde, enchevêtrées comme deux lianes carnivores, haletantes et déchaînées... les deux femmes, c'est Nora et Sonia livrées à des ébats fracassants sur le lit de leur chambre.

La commissaire croit recevoir un coup de massue sur la tête. Elle chavire, les mollets cisaillés, se cramponne à l'accoudoir d'un fauteuil. De la main, elle fait non, recule et avance sur place, rappelant une voiture qui cale. Le corps hérissé d'épines, le dos glacé de sueur, horrifiée et scotchée à la fois, elle ne parvient ni à reprendre son souffle ni à détacher ses yeux de l'écran.

— Bandant, n'est-ce pas ? claque une voix derrière elle.

Nora se retourne, abasourdie.

Othmane Raoui la tient en joue avec un pistolet, le regard froid, le rictus cuisant comme une balafre.

34.

La sonnerie du téléphone retentit à 1 heure du matin. Zine tâtonne dans le noir, s'y reprend à deux fois avant de décrocher. Le joint a fait des ravages dans son esprit.

— Ouais ?

— Ici l'officier de permanence, commissariat central, bredouille la voix au bout du fil. Il est arrivé malheur au 14, rue Diar-Khouna, à Bab el-Oued... Je suis désolé, inspecteur.

Zine repose le combiné, dégrisé.

Il s'assoit sur le bord du lit, les pieds sur le carrelage froid, reste de longues minutes à s'assurer qu'il ne cauchemarde pas, puis, sans allumer, il se rhabille.

Guerd est effondré sur les marches de l'escalier, au deuxième étage de l'immeuble du 14, rue Diar-Khouna. Se tenant les tempes à deux mains, il fixe la pointe de ses chaussures, tellement choqué qu'il n'a pas la force de bouger un peu pour laisser passer l'inspecteur.

Sur le palier, un voisin et son épouse affichent une hébétude effarée.

Zine entre dans l'appart. Le brigadier Tayeb se tient dans le vestibule, sonné lui aussi. Dans le salon, des agents de la police scientifique s'affairent. Nora est couchée sur le flanc dans le fauteuil, face à la télé allumée. Elle a la bouche ouverte, les yeux révulsés et la moitié du crâne défoncé ; sa main droite est tournée vers le haut, un pistolet coincé entre les doigts.

— Purée ! fait Zine en s'affaissant contre le mur.

Le capitaine Salah propose un verre d'eau à l'inspecteur. Zine fait non de la tête. Accroupi dans un coin, il fixe la commissaire inerte dans le fauteuil. Guerd, lui, reste sur le palier, sur la même marche ; il n'a pas levé la tête depuis tout à l'heure.

— Elle s'est tiré une balle dans la tempe, dit le capitaine.

— Je ne suis pas aveugle.

— Elle me paraissait assez solide, la dernière fois que je l'avais croisée.

— Chacun a ses hauts et ses bas.

— Je suis d'accord.

Zine ne parvient pas à détourner les yeux du crâne éclaté de la commissaire. Il lâche dans un soupir :

— Elle était dépressive, ces derniers temps. Mais j'étais loin d'imaginer qu'elle attenterait à sa vie...

— Il est des choses qui dépassent l'imagination, inspecteur.

— Qui a alerté la police ?

— Les voisins d'en face.

— Ils ont entendu quelque chose ?

— Non. Quelqu'un les a appelés au téléphone. Il leur a dit que ça faisait deux heures qu'il tentait de joindre Nora sans succès, que ce n'était pas normal et leur a demandé d'aller voir.

— Il a dit qui il était ?

— Non.

— Il a laissé un numéro où le rappeler ?

— Non.

— Les voisins le connaissent.

— Je ne crois pas.

— Ils savent comment il a obtenu leur numéro ?

— Ça, c'est votre rayon, à la Criminelle.

— Vous avez trouvé quelque chose ?

Du menton, le capitaine désigne la télé à un agent. Ce dernier actionne le lecteur DVD. L'écran moucheté de grains passe à l'image. On voit Sonia nue rejoindre Nora sur le lit. Les deux femmes s'embrassent sur la bouche, se caressent avant de s'entremêler dans des ébats torrides...

— La commissaire ne s'attendait pas à se voir immortaliser sur un disque de cette façon, dit le capitaine.

— Moi non plus, s'étouffe Zine littéralement chamboulé.

— Nous avons cherché d'autres DVD de cette nature, il n'y a même pas de films X ou la trace d'un abonnement à une vidéothèque spécialisée. Pas de revues érotiques, non plus. Je pense que quelqu'un les a filmées à leur insu.

— C'est l'évidence même... Où est Sonia ?

— Qui est-ce ?

— La blonde. Elle vivait chez la commissaire. Je les croyais parentes...

— Apparemment, elles ne l'étaient pas...

— Où sont les caméras ?

— La blonde a dû les emporter avec elle.

— Pourquoi la blonde ? Pourquoi pas le ou les voyeurs ?

— On commence à peine le boulot, inspecteur.

— Dans ce cas, n'avancez pas d'hypothèses à la con.

Zine prie l'agent d'éteindre la télé.

Une fébrilité intenable s'est emparée du Central dès le lever du jour. La nouvelle a fait le tour des bureaux en un temps record. Dans les couloirs, dans les escaliers, dans les cabinets, on s'interpelle, on se chuchote dans l'oreille, on écarquille les yeux et on court informer les collègues qui viennent d'arriver.

Guerd cuve son vin derrière son bureau. Il est bourré, la figure bouffie de mauvais sang, les paupières ramollies.

— Je peux entrer ? lui demande Zine sur le pas de la porte.

Guerd hausse les épaules.

L'inspecteur lui étale le journal sous le nez.

— C'est à la une, ce matin.

— Va chier, grogne le lieutenant en repoussant le canard du revers de la main.

— Qui a saisi la presse, Guerd ? La police n'a été alertée qu'à minuit vingt. Moi-même, un peu plus tard. Comment la presse a fait pour avoir l'info avant tout le monde ?

— Où veux-tu en venir, Zine ?

— Je me pose la question, c'est tout.

— Alors, garde-la pour toi. J'étais arrivé dix minutes avant toi sur les lieux. Tu m'as vu me lever ou téléphoner ? Et puis, on était six ou sept sur place.

— Oui, mais toi, tu as des amis dans la presse.

Guerd passe ses mains sur la figure, fourrage dans ses cheveux ; ses pommettes tressautent de tics.

— Il y a deux façons de voir les choses, Zine. Telles qu'elles sont ou telles que nous voulons qu'elles soient. C'est lorsqu'on les interprète que l'on a tout faux...

— J'espère de tout cœur me tromper, lieutenant. Ces gens-là te tendent la perche et te ramènent avec comme un poisson. Ensuite, ils te roulent dans la farine et, après, t'es bon pour la friture.

— De quels gens tu parles, putain ?

— Tu veux que je te dresse la liste ?

— Je veux que tu dégages de mon bureau, inspecteur. Et attention à tes insinuations. J'suis peut-être un pourri, mais j'ai encore de l'amour-propre. C'est vrai, je ne m'entendais pas avec la commissaire, mais je n'ai jamais souhaité qu'elle se donne la mort.

— Elle était gauchère, lieutenant.

Guerd ne saisit pas tout à fait, mais la remarque de l'inspecteur le dessoûle presque.

— C'est-à-dire ?

— Exactement ce que ça veut dire : gau-chère... et l'arme était dans sa main droite. Nora ne s'est pas donné la mort, on l'a exécutée, rugit Zine en claquant le journal sur le bureau.

Sur ce, il s'en va, laissant le lieutenant cloué sur sa chaise.

35.

Des éclats de voix retentissent dans le couloir, suivis d'un bruit de bousculade. Ed Dayem repose le combiné de son téléphone et se tourne vers la porte de son bureau, au dernier étage de son empire médiatique.

— C'est quoi, ce bordel ? maugrée-t-il.

La porte s'écarte dans un fracas ; le lieutenant Guerd, le veston à moitié arraché, parvient à se défaire des bras qui tentaient de le retenir. Essoufflé, les naseaux fumants, il crispe le poing et menace de cogner. Ed Dayem calme ses hommes avant de les congédier. Une fois la porte refermée, il croise les bras sur la poitrine et considère le policier avec une lueur tranchante dans le regard.

— Pourquoi ce cirque, lieutenant ?

Guerd rajuste sa veste, tangue sur place. Il est ivre mort, les traits flasques, la braguette ouverte, à croire qu'il sort droit du tripot. Son odeur de fauve, ajoutée à son haleine avinée, vicie aussitôt l'air conditionné du bureau.

— Tu m'as promis que c'était juste pour l'obliger à démissionner, balbutie le policier.

— J'ai été le premier surpris en apprenant sa mort.

— Comment ça se fait que c'est à la une de ton canard ?

— C'est le métier qui l'exige.

— Je peux connaître ta source ?

— Non.

— Espèce de salaud, tu m'as manipulé.

— Sans blague. N'est-ce pas toi qui criais sur les toits qu'elle était lesbienne ?

— À aucun moment il n'a été question de la flinguer ! hurle Guerd dans une giclée de bave. J'suis un ripou, un vaurien, un chien, tout c'que tu veux sauf un meurtrier. J'veux pas d'sang sur les mains, t'entends ? J'connais les lignes à ne pas franchir, moi. M'en mettre plein les poches, ce n'est pas d'refus, mais détrousser un cadavre, ça non, pas question...

Ed Dayem contourne son bureau et vient toiser de près l'officier.

— Personne, je dis bien personne n'a pensé qu'elle allait se tuer, Guerd. C'est tragique, et on n'y est pour rien. On ne peut pas tout prévoir. On voulait juste qu'elle rende son insigne et qu'elle aille ailleurs se voiler la face.

Guerd vacille, se mouche grossièrement sur son avant-bras.

— Elle ne s'est pas suicidée, bonhomme. On l'a exécutée.

Ed accuse un pas en arrière. Sa perplexité est réelle. Il dévisage le lieutenant ; ce dernier n'a pas l'air d'élucubrer.

— Qu'est-ce que tu racontes ? Qui aurait pu faire une chose pareille ?

— Celui que tu as chargé de placer des caméras dans la chambre de la commissaire.

— Ne me mêle pas à ça, lieutenant, s'écrie Ed menaçant. Je n'ai pas plus de responsabilité que toi dans cette histoire. On a juste confirmé qu'elle était lesbienne. Et puis qu'est-ce qui te fait croire qu'elle ne s'est pas suicidée ?... Ressaisis-toi, mon gars. Tes collègues prêchent le faux, et toi, tu tombes dans leur jeu. La commissaire s'est flinguée parce qu'elle avait compris que sa carrière était fichue. Je jure que j'étais loin d'imaginer qu'elle allait se donner la mort.

— On l'a bel et bien flinguée, Eddie. Un fils de pute lui a logé une bastos dans la tempe, chez elle. Les gars du labo sont catégoriques.

Ed s'aperçoit qu'il transpire à grosses gouttes. Il retourne derrière son bureau et se met à s'éponger dans une multitude de Kleenex. Son visage n'est plus qu'un masque crayeux.

— Mon Dieu ! halète-t-il.

— Il n'est là pour personne, glapit Guerd.

— Ferme-la !

— Ça changerait quoi ? Admettons que je tire une fermeture Éclair sur ma gueule, je ferais comment pour faire taire le bordel dans ma tête ?

— Quelqu'un te soupçonne-t-il ?

— J'ai un alibi, moi... Et toi ?

Ed tombe sur sa chaise et entreprend de réfléchir.

— Écoute, lieutenant. Nous ne risquons rien si nous nous tenons peinards. Tu dois te reprendre en main. C'est ta conduite qui nous perdrait. D'abord, tu débarques ici alors que nous avons un point de rencontre de l'autre côté de la ville. Tu enfreins les règles, et ce n'est pas bon. J'ai été clair pourtant. Pas question de venir me trouver au siège du journal. Tu es quand même venu. Et tu te permets de te donner en spectacle au milieu d'un tas de journalistes. Ensuite...

— Ensuite, je t'emmerde. Tu t'es servi de moi, et j'ai une mort sur la conscience.

Ed sort d'un tiroir une liasse de billets de banque et la pousse vers le lieutenant.

— Tu as besoin de changer d'air, Guerd. Prends ce fric et trouve-toi un point de chute susceptible de te détendre. Je vais toucher deux mots au divisionnaire pour qu'il t'accorde une ou deux semaines de congé.

— Ne cite surtout pas mon nom à qui que ce soit, Eddie. Je ne te connais pas et tu n'as jamais entendu parler de moi.

— Aucun problème. Maintenant, prends ton fric et taille-toi.

Guerd crache sur le côté avec une hargne telle qu'il trébuche et manque de tomber :

— Ton fric, tu te torches avec. Il s'agit d'un meurtre, et là, je ne suis plus dans le coup. Encore une chose, fumier : si jamais on remonte jusqu'à moi, tu plongeras toi aussi.

— Tu me menaces, lieutenant ?

— Non, je te le promets, sur la tête de ma mère.

— Sido ! hurle le magnat.

Sido rapplique aussitôt.

Ed le foudroie du regard :

— Tu ne m'as pas certifié que l'homme de Neandertal avait disparu de la planète il y a vingt-huit mille ans ?

— C'est exact, monsieur, dit Sido.

— Alors, qu'est-ce qu'il fabrique dans mon bureau ?

Guerd opine du chef.

Il se penche sur le magnat :

— Ce que tu ignores, mon gars, bougonne-t-il, c'est qu'à partir d'aujourd'hui toi, moi et tous ceux qui sont impliqués dans cette affaire sommes en voie d'extinction.

Sido tente de saisir le lieutenant par le bras. Le policier l'esquive, fixe le magnat d'un œil torve et quitte la pièce en essayant de marcher droit.

Ed n'a pas dormi, cette nuit-là.

Les propos du lieutenant n'ont pas arrêté de toupiller dans son esprit.

Deux jours plus tard, la voiture de Guerd est localisée au fond d'un ravin, sur la route de la Chiffa. Des bergers ont raconté que le conducteur roulait trop vite et que c'est en voulant éviter un singe sur la voie qu'il a perdu le contrôle de son véhicule pour finir au fond du précipice. Les premiers éléments de l'enquête menée par les gendarmes privilégient la thèse de l'accident. Guerd avait plus de cinq grammes d'alcool dans le sang.

Ed a adhéré au rapport de la gendarmerie.

Cinq jours plus tard, Othmane Raoui est trouvé mort chez lui au chalet 28, électrocuté dans sa baignoire. Au sous-sol de la demeure, la police découvre trois fosses suspectes ; on en exhumera trois cadavres qui seront identifiés comme étant les corps de Kader Kacimi, de Réyan Baz et de Mlle Sonia Laribi.

Lorsque la nouvelle de la mort d'Othmane Raoui a atterri sur le bureau d'Ed Dayem, elle a fait l'effet d'une bombe au dernier étage de la tour de verre. Le magnat de la presse est entré en transe et Sido n'a rien pu faire pour le calmer.

Ed Dayem a passé la nuit la plus agitée de sa vie. Tandis qu'il sifflait verre sur verre, il n'a pas réussi à tempérer la voix qui le hantait. *Nous sommes tous en voie d'extinction... Tous ceux qui sont impliqués dans cette affaire... Tous en voie d'extinction...*

D'un coup, l'angoisse – la terrible angoisse qui lui fouaille les tripes chaque fois qu'il remet les pieds à Alger – s'ancre de nouveau en lui, avec ses toxines et ses grosses suées. Et le voilà qui regarde sous son lit avant de se coucher, qui se réveille à des heures impossibles pour vérifier si la porte est fermée à double tour, qui s'assure qu'aucun objet ne traîne sous le châssis de sa voiture avant de monter à bord. Ed Dayem est redevenu parano. Il est mal à l'aise dès qu'un pas résonne dans son dos, les yeux plus vifs que l'éclair. Cet homme qui téléphone devant le café, pourquoi n'est-il pas crédible ? Et cet autre énergumène qui feint de lécher les vitrines, depuis quand le file-t-il ? Et cette bagnole qui vient de démarrer en trombe, pourquoi brûle-t-elle le sens interdit ?

Pour Ed Dayem, Alger n'est plus qu'un traquenard à ciel ouvert.

Ses pénombres empestent le sortilège.

Ses boulevards sont pavés de trappes.

Ed Dayem n'y voit plus clair. C'est difficile d'y voir clair lorsqu'on a passé sa vie à se voiler la face, à nager dans les eaux troubles et à se cacher derrière un rideau pour frapper ses ennemis dans le dos.

Il faut qu'il se taille au plus vite. Qui le retiendrait dans cette ville ? Quel repère ? Quelle idylle ? Quelle garantie ? Ed Dayem sait que le vent a tourné pour de bon cette fois. Il sait surtout que cette ville qu'il a mise au pas, usée jusqu'à la trame, dépouillée de sa dernière chemise, cette ville où il faisait la pluie et le beau temps en dictant aux uns ses quatre volontés et aux autres leur testament, cette ville où il fut roi et laquais, géant et farfadet, courtisé et lèche-bottes, eh bien cette ville se prépare à devenir son cimetière depuis que le collimateur a posé son mauvais œil sur lui. Il n'est pas question d'attendre le fossoyeur car, quand bien même on aurait prévu pour ses funérailles un char paré de mille couronnes, un peloton de la garde républicaine monté sur des pur-sang de Slovénie, des clairons tonitruants et cent coups de canon, quand bien même on aurait décidé que les sirènes de tous les bateaux amarrés au port lui rendent un dernier hommage à l'unisson, et mobilisé des cortèges de pleureuses pour le plus formidable des défilés, et peaufiné par les meilleurs poètes l'oraison funèbre que réciterait pour le repos de son âme le plus illustre des imams, il ne resterait pas un jour de plus au pays.

Lorsque l'angoisse atteint son paroxysme et menace de lui torpiller le cœur, Ed appelle Sido pour lui demander de lui réserver un siège sur le premier vol international, boucle ses valises, débranche le téléphone, allume dans toutes les chambres pour faire croire qu'il est chez lui au cas où un espion s'aviserait de le surveiller, saute dans un taxi et file dans un hôtel près de l'aéroport, certain que, s'il passait la nuit dans sa villa, il risquerait de ne pas voir le jour se lever.

36.

C'est arrivé d'un coup.

Le matin, en se réveillant, Sid-Ahmed s'est dit *basta !*

Il est resté couché sur son lit de camp pendant de longues minutes à se convaincre qu'il ne se trompait pas. En réalité, il n'a pas besoin de se forcer.

Il reconnaît que l'idée en a fait, du chemin, souvent inextricable et sans issue, mais cette fois, c'est la bonne ; il en est persuadé.

Sid est serein.

Et lucide.

Le plafond au-dessus de lui évoque une pierre tombale. Le doute est mort, et Sid dans un sens aussi ; l'ultime amarre qui le retenait au mensonge vient de rompre ; le moment de vérité a triomphé des fuites en avant, des simulacres de rédemption et des absolutions improbables. Si on lui ouvrait le crâne, on y trouverait une coulée de plomb en train de se solidifier. Il n'y aura pas de marche arrière ; l'ensemble des recours a été épuisé.

Basta ! Il ne reportera plus à plus tard ce qu'il aurait dû faire il y a longtemps.

Sid a du mal à se lever tant sa tête pèse des tonnes. Il porte la main sur le paquet de cigarettes qui traîne par terre, fume une clope, puis une deuxième, et une troisième, les yeux rivés au plafond. Une seule fois, il s'est tourné vers les portraits de Djamila Bouhired et Angela Davis avant de revenir derechef sur le plafond, incapable de soutenir le regard de ses deux idoles.

Dehors, le jour s'éveille à ses nullités.

La mer démontée multiplie ses fracas. *Elle rue dans les brancards*, pense Sid. *Elle fait des vagues.*

L'ancien journaliste ne juge pas nécessaire de se faire du café. Il sort du frigo la daurade et les deux mulets que des pêcheurs lui avaient offerts la veille, les roule dans du papier journal, les glisse dans un sachet en plastique et il se rend au village chercher du carburant.

Le pompiste le taquine en rigolant :

— Tu veux t'asperger d'essence pour déclencher un soulèvement populaire ?

Sid ne répond pas. Il remplit son petit jerrycan de dix litres de carburant, un vague sourire sur les lèvres.

— Je paie avec du poisson.

— Adjugé ! s'écrie le pompiste, ravi de rafler les belles pièces enveloppées dans le papier journal.

Sid consulte un annuaire sur une étagère, fait courir son doigt sur les colonnes de coordonnées, passe d'une page à l'autre, s'arrête sur le numéro du standard du commissariat central d'Alger.

— Je peux téléphoner de chez toi ? demande Sid.

Le pompiste pousse sur le comptoir un vieux téléphone datant de l'époque de la révolution agraire édifiée par les abrutis du socialisme scientifique dans les années 1970.

Sid compose un numéro en se trompant à trois reprises. C'est la première fois qu'il utilise le téléphone depuis plus d'une décennie. Cela lui fait un drôle d'effet.

Une sonnerie retentit dans le cagibi de Zine. C'est la standardiste. Elle demande à l'inspecteur s'il accepte un appel extérieur de la part d'un certain Sid-Ahmed. L'inspecteur acquiesce.

Un bruit de friture grésille au bout du fil.

— Sid ?

— Je ne te dérange pas ?

— Pas vraiment. Tu as acheté un portable ?

— Je t'appelle de chez le pompiste.

— Passe-le-moi.

— Non, je n'ai pas de problème avec lui.

La voix de Sid semble provenir d'outre-tombe.

— C'est toujours à propos de ce *qu'attendent les singes*.

— S'il te plaît, Sid. Je ne fais que cumuler les chocs depuis deux semaines. Tu n'as pas une bonne blague pour moi ? Ça me botterait, je t'assure.

Silence au bout du fil, entrecoupé de reniflements.

— La question tourne en boucle dans ma tête du matin au soir, Zine. Je dors avec, je me lève avec.

— Tu m'en as déjà parlé. Tu devrais sortir un peu de ta grotte. Je peux venir te chercher tout de suite, si tu veux. On ira sur le Maqam voir la baie.

— J'ai la mer juste en face de moi. Et elle n'arrive pas à éteindre le feu dans mon crâne. J'ai besoin qu'on m'explique : *qu'attendent les singes pour devenir des hommes ?*

— Ils le voudraient qu'ils ne le pourraient pas, Sid. C'est dans la nature des choses, voyons. On n'exige pas d'un dépotoir de sentir bon.

— Oui, mais ça n'explique rien.

— Il n'y a rien à expliquer. Le monde est ainsi fait. L'or ne rouille pas, la pourriture ne se bonifie pas avec le temps, et si le bon Dieu ne lève pas le petit doigt pour calmer les esprits, c'est qu'il a ses raisons. Je t'assure, Sid, tu es en train de te compliquer l'existence pour pas grand-chose. Ne laisse pas la dèche court-circuiter tes pensées. Je suis mal à l'aise quand je t'entends râler de cette façon.

— Je ne râle pas, j'essaye de comprendre. Pourquoi les choses sont si désespérantes chez nous ? Pourquoi sommes-nous tombés si bas ?

— Tomber n'est pas un tort lorsqu'on a la force de se relever, Sid.

— Se relever ? L'échelle est inversée, Zine. Les déserteurs traitent de criminels les héros, les génies se font bouffer par les crétins, les vendus se paient la tête des intègres, les vauriens paradent sur les tribunes et la nuit mange ses étoiles.

— Les gens sont ce qu'ils sont. Certains sont sympas, d'autres pas, c'est tout.

— Pourquoi ?

— C'est dans l'équilibre des choses, je te dis.

— Alors, dis-moi pourquoi je ne suis bon qu'à blesser ceux qui m'aiment, Zine ?

— Tu ne causes de tort à personne. La preuve, tu es mon meilleur ami.

— Ça ne fait pas de moi quelqu'un de bien.

— Qu'est-ce que tu racontes ?

— J'suis désolé. Je te demande de me pardonner. Je sais combien je vais te manquer, mais, comprends-moi, je suis fatigué d'attendre ce qui ne reviendra jamais.

Sid raccroche.

Zine regarde le combiné comme s'il tenait toute l'horreur du monde dans la main. Il hurle :

— Sid, Sid, ne fais pas le con, Sid... Attends-moi que je t'explique, Sid, Sid...

L'inspecteur n'entend que ses cris.

Au bout du fil, une tonalité monocorde semble rejoindre le zézaiement sidéral du néant.

L'inspecteur pousse un juron qui fait sursauter les deux agents au guichet, ramasse les clefs de sa voiture et fonce à toute allure sur le parking en oubliant sa veste sur le dossier de la chaise.

Il ne reste rien sur le rocher au pied duquel la mer se lamente. Le taudis de Sid-Ahmed n'est plus qu'un tas de ruines fumantes que les pompiers aspergent de leurs lances. Autour du sinistre, des curieux essaiment dans un silence de cathédrale.

— On a trouvé ce bidon d'essence, dit un sapeur en exhibant un jerrycan cramé. D'après les pêcheurs, le pauvre diable a mis lui-même le feu à sa maison. Il a brûlé avec tout ce qu'il possédait.

Zine s'accroupit quelque part, assommé, et se prend la tête à deux mains.

Zine s'attendait à n'entrevoir au cimetière qu'un poivrot ou deux, quelques pêcheurs et une poignée de désœuvrés, et c'est une foule qui débarque.

Tous les gens de Fouka sont là, le maire et l'imam du village en tête. Beaucoup de journalistes ont fait le déplacement d'Alger, d'Oran, de Constantine, d'Aïn Sefra. On reconnaît dans la foule poètes, comédiens, artistes de renom. On dirait que chaque région du pays a délégué ses meilleurs représentants pour accompagner l'ancien animateur de la Chaîne 3 à sa dernière demeure.

Pour un paumé qui a choisi de vivre en ermite depuis des années, Sid a droit au plus émouvant des enterrements. Le cortège a défilé sur l'avenue principale du village une heure durant. On n'avait jamais vu un tel monde avant. L'ambulance des pompiers ouvrait la marche, ensevelie sous des couronnes de fleurs.

Le cercueil recouvert de l'étendard de la nation a été porté par des lycéens. Comme un trophée.

Le petit cimetière de Fouka déborde de badauds, de petits fonctionnaires, de boutiquiers, d'étudiants et d'amis venus rendre un dernier hommage à un fantôme.

L'imam rappelle à la foule pressée autour de lui l'épreuve de l'adversité et le devoir d'être utile aux autres.

Ensuite, un vieux collègue de la radio prend la parole pour rendre hommage à cet homme qui avait choisi de se verrouiller dans sa douleur afin de ne pas surcharger celle des autres.

Un cameraman de la télévision recueille en gros plan le témoignage des uns et des autres :

— Je le voyais souvent accroupi sur le rocher à surveiller sa ligne, se souvient un jeune homme.

— Il ne fréquentait personne, dit un pêcheur, mais il va nous manquer.

— J'écoutais souvent ses émissions littéraires, raconte un enseignant chenu. C'était un grand conteur qui nous faisait rêver.

— Je suis triste, confie simplement un illustre inconnu.

37.

Après les funérailles, Zine est parti se recueillir sur les ruines du taudis. Accroupi sur le rocher, il n'a pas arrêté de lancer des cailloux à la mer. Dans son esprit ont défilé des souvenirs en vrac, les joies emmêlées aux peines. Par moments, il lui a semblé entendre Sid-Ahmed haranguer les vagues que déchiquetait le récif ; ce n'était pas Sid-Ahmed, c'était lui, Zine, qui soliloquait à tue-tête en pensant à Nora faussement endormie dans son fauteuil, à Guerd bourré comme une pipe en train de se dissoudre derrière son bureau, au brigadier Tayeb pleurant la commissaire dans la cage d'escalier, puis... il a pensé à la foule venue saluer la dépouille du journaliste, à cette foule surgie de nulle part et qui a redonné chair aux serments que l'on croyait rompus ; à ces gens qui ne possèdent pas grand-chose et qui donnent sans réserve, qui ont appris à se serrer les coudes sans vraiment se rencontrer et à se reconnaître dans le noir où les rboba les ont jetés. Quel peuple admirable, reconnaît Zine. Ni les abus ni les désillusions n'ont réussi à le délester de son âme. Il est resté brave, le peuple d'Algérie, noble jusque dans la débâcle, jamais démissionnaire, toujours debout quand l'adversité dépasse l'entendement. On a confisqué ses valeurs, chosifié ses mythes, clochardisé ses artistes et on a étouffé dans l'œuf ses idoles et ses champions, pourtant il continue de croire dans chaque étoile qui brille dans le ciel, dans chaque matin qui se lève sur des déjà-vu, rêveur parce qu'il garde la foi, longanime parce que immortel... *Regarde-toi dans l'Autre et dis-toi que ce qui le fait souffrir nourrit ta douleur. Si sa peine t'indiffère, c'est que tu es mort.*

En faisant l'inventaire de ses actes et de ses paroles données, à aucun moment Zine n'a déniché un bout de fierté susceptible de le situer au milieu de cette masse d'inconnus rassemblée autour d'une tombe rudimentaire. Il a eu le sentiment d'être un intrus, un exilé, un apatride parmi ses propres compatriotes. Il n'a même pas osé dire un dernier mot à la mémoire de celui qu'il considérait comme son meilleur ami. Pourquoi s'était-il senti coupable ? Coupable de quoi ? De survivre à ses collègues assassinés ou disparus, à Nedjma partie à la fleur de l'âge, vierge comme une page blanche, à ce pauvre bougre de valet exécuté au pavillon 32 ou bien coupable de taire la vérité sur une tuerie crapuleuse ? Quel genre d'homme est-il ? Pourquoi porte-t-il les insignes d'un représentant de l'ordre s'il est incapable d'être autre chose qu'un complice ? Quelle est sa place désormais au milieu de ses fantômes et de ses chers absents ? *Pourquoi veux-tu que les singes deviennent des hommes, Sid ? Ne sont-ils pas moins à plaindre que les rois et moins fous que les héros ?...*

Zine regarde la mer déferler sur lui. Elle ne laverait pas sa conscience. Peut-on vivre sans conscience lorsqu'on a connu l'enfer avant les volcans ? Il a un devoir à accomplir. Il ne peut pas s'en détourner sans perdre la face et le reste avec. Cela fait deux semaines, depuis l'assassinat de Nora, qu'il tente de se défiler, mais ni ses joints ni ses excuses ne sont parvenus à l'assister dans sa défection.

Et d'un coup, lui aussi, comme Sid-Ahmed, il dit *basta !*

Mû par on ne sait quel sortilège, il se lève, pénètre dans les ruines de ce qui fut le refuge de son vieil ami, cherche parmi les éboulis une pierre de la taille d'un œuf, en trouve une, la soupèse, la met dans sa poche, récupère sur une poutrelle calcinée un morceau de bois intact et rejoint sa voiture.

Il arrive à Alger vers le coucher de soleil.

Une fois chez lui, il se rend dans la cuisine, commence par laver la pierre jusqu'à la polir, puis il s'attable dans le salon et entreprend de tailler en pointe le morceau de bois.

La nuit tombe comme un rideau.

Zine sort sur le balcon regarder la ville. Un vent glacial le griffe au visage ; il s'en fiche. De gros nuages boursouflent le ciel pendant que la pluie redouble son débit. L'inspecteur observe les immeubles autour de lui, les voitures qui chuintent sur la chaussée gorgée d'eau. Alger s'enlise dans ses bourbiers, pense-t-il. Elle ne se souvient plus de l'ivresse des cimes. Sa mémoire a brûlé avec sa tête ; ses cérémonies, on les a rangées au placard ; ses zornas sonnent dans le vide. Les petits artisans de la Casbah, les *redjla* de Bab el-Oued, les chantres de Soustara et les mascottes de Belcourt, pfuit ! partis en fumée. Il n'y a plus de pudeur dans les confidences, plus de certitude à l'horizon. Les braves rasent les murs, la place est livrée aux chiens et aux vauriens. Les quartiers où tant d'alliances fleurissaient au gré des rencontres, les bars où l'on se soûlait la gueule jusqu'à prendre un clochard échevelé pour un prophète, tout a disparu.

Zine sait qu'il est en train de craquer, mais il n'en a cure.

Demain sera un autre jour.

Il s'allume un joint, fait monter le son du lecteur CD, se laisse emporter par la musique de Mohamed Rouane et partir en fumée au gré des bouffées de cannabis. Lentement, son regard s'embrouille et les lumières de la ville se mettent à remplir son cerveau de constellations fantasmagoriques. Chaque inhalation semble le ressusciter au milieu d'aurores boréales, chaque note résonne en lui comme une conjuration. Lorsque toutes les fibres de son corps se relâchent et qu'une étrange béatitude se répand à travers son être, il s'entend dire d'une voix autre que la sienne, avec des mots qui lui sont totalement étrangers : *Je refuse de croire au recyclage de ton malheur, Algérie. Ton simulacre de victime expiatoire ne trompe personne et ta convalescence n'a que trop duré. Un jour, le voile intégral qui te dérobe au génie de tes prodiges tombera et tu pourras te mettre à nu pour que le monde entier voie que tu n'as pas pris une seule ride, que tes seins sont aussi fermes que tes serments, ton esprit plus clair que l'eau de tes sources et tes promesses toujours aussi intactes que tes rêves. Algérie la Belle, la Tendre, la Magnifique, je refuse de croire que tes héros sont morts pour être oubliés, que tes jours sont comptés, que tes rues sont orphelines de leurs légendes et tes enfants rangés à la consigne des gares fantômes. S'il faut secouer tes montagnes pour les dépoussiérer, boire la mer jusqu'à la lie pour que tes calanques se muent en vergers, s'il faut aller au fin fond de l'enfer ramener la lumière qui manque à ton soleil, je le ferai.*

Vers 22 heures, Zine enroule dans un pan de toile cirée la pierre et le pieu rapportés de Fouka, glisse son Beretta dans son holster, ajuste sa veste par-dessus. Après un dernier regard dans la glace du vestibule, il sort sur le palier et descend les marches de l'escalier dans une sorte d'état second.

À 22 h 42, il se range devant le 62, allée des Promeneurs, à Hydra. Le tonnerre ébranle le quartier, éventrant les nuages et déversant sur la ville un déluge.

Zine sonne à la porte.

— Oui ? lui demande-t-on dans un Interphone.

— J'ai un pli d'une urgence extrême pour M. Hamerlaine.

— M. Hamerlaine dort.

— C'est la présidence qui m'envoie.

Des pas résonnent derrière le rempart. La porte s'écarte sur un valet noir abrité sous un parapluie. Zine lui enfonce le pistolet dans le flanc.

— Vous vous trompez d'adresse, monsieur. Vous êtes chez haj Hamerlaine.

— Avance...

Marouane n'oppose pas de résistance. Il se laisse pousser jusque dans le hall de la résidence. Un autre valet sort d'une pièce. À la vue du pistolet, il lève les bras et se projette contre le mur.

— Va chercher les autres, lui intime Zine. Tous sans exception. Ne t'avise pas d'approcher un téléphone ou une sonnette d'alarme. Je vous abattrais avant que les secours ne trouvent leurs pantoufles.

Marouane fait signe à l'employé d'obéir.

En quelques minutes, la valetaille au complet est réunie dans le hall. Ils sont cinq hommes pétrifiés d'effroi, les mains en l'air. Zine les oblige à lui montrer la chambre de Hamerlaine. De la tête, il leur ordonne de passer devant.

Hamerlaine dort dans son vaste lit de souverain, à peine plus grand que son oreiller. Zine le secoue. Dès que le vieillard ouvre les yeux, il lui assène un coup de crosse sur la nuque. Après l'avoir menotté, il le saisit par le bras et le jette par terre.

Terrorisés, les valets ne bronchent pas.

— Regardez-le, leur dit l'inspecteur. C'est la dernière fois que vous le voyez. Je veux que vous gardiez de lui l'image d'un monstre terrassé.

— Monsieur, tente Marouane, je vous en prie, ne lui faites pas de mal. Il est souffrant.

— Vous avez tort de vous attendrir sur son sort. Ce n'est qu'un criminel qui ne mérite même pas qu'on lui crache dessus.

Zine saisit le vieillard par les pieds et le traîne dehors.

Arrivé dans le hall, il se tourne vers les valets et leur dit :

— Je ne fais que mon devoir.

— Monsieur... insiste Marouane.

— Je suis obligé. Je dois me taper le sale boulot puisque la justice s'en lave les mains.

Puis, après avoir dévisagé les cinq valets noirs les uns après les autres, il décrète :

— Au nom de vos pères qui furent des seigneurs libres et droits et qui doivent se retourner dans leur tombe en constatant quel genre de Nègres cet esclavagiste a fait de vous, accordez-moi deux heures, rien que deux petites heures, et après donnez l'alerte. Je ne vous en voudrai pas.

38.

Grisé, à mi-chemin entre l'état d'ébriété et l'hallucination, Zine brûle les feux rouges, double les voitures sur la ligne continue, la pédale de l'accélérateur écrasée au plancher. Il prend la première bretelle menant à l'autoroute, fonce dans la nuit, roule pendant une heure sans rencontrer de barrages comme si les saints patrons du pays veillaient à ce que toutes les voies soient libres devant lui.

Il emprunte une route secondaire jusqu'à un village fantomatique, rejoint le littoral, traverse un bois, dévale une piste sur des kilomètres en tanguant sur les crevasses, arrive sur une plage polluée entoilée de ténèbres, se faufile prudemment entre les dunes pour ne pas s'enliser, se range enfin au milieu d'un taillis, descend de la voiture, ouvre le coffre arrière et jette le vieillard à terre comme un vulgaire balluchon.

Réveillé par la pluie torrentielle, Hamerlaine se met sur son séant, déboussolé ; il tente d'abord de se situer dans la tempête avant de s'intéresser à l'homme debout face à lui.

— Où sommes-nous ?

L'inspecteur lui décoche un regard que le vieillard ne connaît que trop bien. Le gratin qu'il a rétrogradé, les héros qu'il a atomisés, les gros bras qu'il a empaillés, les génies qu'il a abrutis, les fortunés qu'il a ruinés, les échines qu'il a brisées pour avoir osé tenir droit devant lui, tous avaient eu pour lui ce même regard pendant qu'ils amorçaient leur descente aux Enfers – un regard froid, mortel, sans appel.

— Je vous demande où nous sommes.

— Toujours en Algérie, vieux bouc. Quelque part où vous n'avez jamais mis les pieds. Sur une plage sauvage livrée aux sangliers où, en été, viennent se baigner les familles que vous avez clochardisées. Il n'y a ni kiosques, ni cafétérias, ni toilettes, rien que des dunes bouffées par les herbes sauvages. À cet endroit exact où nous nous tenons, les ploucs font leurs besoins à l'abri des buissons. Et c'est ici que vous dormirez pour l'éternité, au milieu des crottes et du pipi, afin que les moins que rien viennent vous chier dessus.

— Vous êtes malade ou quoi ?

Zine sort une pelle du coffre de la voiture et se met à creuser dans le sable. Des éclairs balafrent le ciel ecchymosé. La pluie balaie le taillis que le vent tourmente dans un ululement funeste. Le vieillard grelotte, misérable dans son pyjama trempé, les yeux luisants, les mâchoires brinquebalantes. Il regarde autour de lui, ne perçoit que la rumeur de la mer engrossant les noirceurs.

Tout en creusant, Zine s'enquiert :

— Vous vous souvenez d'Abbas Chenoua, le syndicaliste ?

— Qui est-ce ?

— Celui que vous avez expédié chez les dingues.

— Ça ne me dit rien.

— C'est parce que vous n'écoutez pas, monsieur Hamerlaine. Abbas était l'un des plus grands syndicalistes du pays. Sa droiture l'avait cassé comme une brindille sous le sabot d'une mule. Une semaine avant de se pendre dans sa geôle, il avait envoyé, en guise de testament, quelques phrases que la presse avait reprises à son compte. Ça ne vous rappelle rien ?

— Non.

— Normal, les têtes brûlées n'ont pas de mémoire.

Zine élargit le fossé qui, maintenant, lui arrive aux mollets. Il récite :

— *Lorsqu'il n'y aura plus d'étoiles dans le ciel, lorsque le soleil s'éteindra, lorsque les dieux rendront l'âme, les rboba seront toujours là, trônant sur les cendres d'un monde disparu, et ils continueront de comploter contre les ténèbres, de mentir à leurs propres échos, de voler de leur main gauche leur main droite et de poignarder leur ombre dans le dos...* Terrible, n'est-ce pas ?

— En effet.

— Eh bien moi, je ne suis pas d'accord. Les rboba ne sont que des usurpateurs vernis, des larves dopées aussi vulnérables que les mouches. La preuve, je vais vous régler votre compte plus vite qu'un guichetier, à vous le tyran tout-puissant.

Le vieillard voit où l'inspecteur veut en venir. Il hoche la tête :

— C'est la faute à personne, mon garçon. Nous ne sommes que ce que les autres veulent que nous soyons. Une hiérarchie arbitraire a fait de vous un inspecteur. Beaucoup de vos supérieurs n'ont ni votre intelligence ni votre vaillance, pourtant vous exécutez leurs ordres à la lettre.

Il essuie son menton sur son épaule et poursuit :

— Le monde est ainsi fait. Nous sommes coupables par procuration et victimes par défaut. Je n'ai pas demandé à être un despote. J'ignore comment c'est arrivé. Ça commence à partir de pas grand-chose : une simple courtoisie, une sollicitation timide, puis une autre appuyée, un merci du bout des lèvres, un baiser sur le front, un baiser sur la main, ensuite un baiser sur vos pieds et vous ne pouvez plus avancer sans marcher sur le corps de vos courtisans.

Zine creuse.

Le vieillard attend une réaction qui ne se manifestera pas. Il dit :

— On se met à vous inventer des mérites auxquels vous êtes totalement étranger, des vertus que vous ne soupçonniez même pas, à vous caresser dans le sens du poil, puis à vous idolâtrer jusqu'à ce que votre pet sente l'encens. Et un matin, en vous réveillant, vous êtes un manitou...

Hamerlaine a le sentiment de prêcher dans le désert, mais il ne peut s'empêcher de plaider sa cause. Sa voix monte d'un cran :

— Je ne suis que le produit de la démesure des hommes, de leur cupidité et de leurs ambitions. Les opportunistes veulent réussir à tout prix, et il se trouve que c'est moi qui détiens les codes. Je n'ai pas mis longtemps à me rendre compte que j'étais le faiseur des rêves et des banqueroutes ; je découvrais tous les jours l'étendue grandissante de mes pouvoirs, à ma grande stupéfaction. Je croyais être fait de chair et de sang, que je me devais d'avoir peur et de me fixer des limites, mais non, il me suffisait de citer un nom pour le sanctifier ou le crucifier, sans critères ni procès.

Zine s'arrête de creuser pour discipliner son souffle.

Le vieillard reprend, la voix presque sourde, comme s'il soliloquait :

— C'était tellement facile que ça frisait le ridicule. De mon petit poste d'apparatchik privilégié, je me surpris à faire la pluie et le beau temps. Forcément, ça vous monte à la tête. Je n'avais qu'à claquer des doigts pour faire sauter un verrou ou un fusible. Est-ce ma faute si certains sont si insignifiants qu'ils feraient d'une simple signature sur un document le signe manifeste du ciel ?

— ...

— Les grosses huiles me faisaient allégeance. Ils m'offraient la lune au beau milieu du jour, et la nuit ils poussaient leurs femmes dans mon lit. J'y ai pris goût.

— ...

— Et puis pourquoi se gêner ? s'emporte-t-il soudain. Je ne voyais autour de moi que lèche-culs et combinards sans scrupules. Comment ne pas me croire meilleur qu'eux, comment ne pas me considérer comme le plus grand des hommes puisque, des hommes, il n'y en avait point ?...

Zine lui jette un regard vorace.

Le vieillard plisse le front :

— Je suis une victime, inspecteur. Je n'ai cherché ni à être redouté ni à être vénéré. On m'a contraint à incarner une souveraineté tellement énorme qu'elle s'est substituée à ma petite personne. Le pouvoir est une effroyable sorcellerie, une possession démoniaque, une folie à l'état pur. Une fois contaminé, vous ne pouvez plus vous en défaire. C'est tellement enivrant. Vous dites « Sésame, ouvre-toi », et la magie opère aussitôt. Vous n'avez qu'à vous servir. Mieux, vous êtes servi au doigt et à l'œil. Vous vous pincez au sang et vous vous apercevez que vous ne rêvez pas. Tout est vrai, terriblement vrai. Vous êtes la fatalité des uns, le miracle des autres. Même Dieu tout-puissant n'est pas aussi efficace que vous. La vie, la mort, vous contrôlez jusqu'aux extrêmes.

Zine crache dans ses mains avant d'étreindre avec hargne le manche de la pelle.

Le vieillard reste un moment songeur, un vague sourire sur les lèvres. Sa figure de cire luit, les yeux mi-clos à cause de la pluie. Il avoue :

— La nuit, lorsque l'ennui vous rattrape, vous vous imaginez en train de hanter le sommeil des gens ; au matin, certains vous regardent comme si vous étiez le prolongement de leurs cauchemars... Il n'y a jamais eu de tyran, inspecteur. Les tyrans ne sont que le fruit hallucinogène de nos petites et grandes lâchetés.

Zine se remet à creuser.

Le vieillard n'attend plus de réaction. Il comprend que sa tirade est irrecevable, qu'il parle dans le vide.

Il demande :

— Que me reprochez-vous au juste ?

— La liste est longue.

— Quoi, par exemple ?

Zine plante la pelle dans le trou et se tourne vers le vieillard :

— Vous tenez vraiment à savoir pourquoi vous êtes là ? Très bien. Vous êtes là pour le mal que vous avez fait à ce pays, pour nos génies obligés de se prostituer sous d'autres cieux afin de mériter un morceau de sucre, pour ce père contraint de se ruiner afin de payer des cours de rattrapage à son cancre de fils produit par votre école, pour chaque Algérien stressé à mort dès qu'il met les pieds dans une institution algérienne, pour nos jours blancs comme nos nuits, pour toutes nos hontes bues jusqu'à plus soif... Pour Nedjma Sadek, votre propre petite-fille, morte dans votre lit de dépravé, le sein tranché par vos dents de charognard.

Le vieillard part d'un rire ahuri.

— Vous délirez, inspecteur. Ma petite-fille a été assassinée par les ennemis de notre nation.

— L'Algérie ne pourrait redouter pire ennemi que vous.

— Vous faites fausse route, inspecteur. Comment puis-je porter la main sur la chair de ma chair, voyons ?

— Ne vous fatiguez pas. Ce n'est plus un mystère. Le 23 décembre, la fête battait son plein au pavillon 32. Vos sujets étaient là pour célébrer votre anniversaire. Mais le vrai cadeau vous est offert lorsque tout le monde est parti. Bob vous apporte une vierge droguée pour votre bon usage, maquillée comme une princesse, du henné aux poignets, les cheveux parsemés de poudre de fée : l'offrande au pharaon que vous êtes... Pourquoi lui avez-vous arraché le sein ? Parce que vous ne pouviez pas bander ou pour mesurer l'étendue de votre impunité ?

— C'était un accident, un regrettable accident, admet le vieillard dans un sursaut d'orgueil. Qui êtes-vous pour me juger ? Un petit flic de merde qui vient m'enlever de chez moi et qui ose porter la main sur le sauveur de la nation. Vous oubliez que ce pays me doit tout. Il n'était qu'un département français livré au pillage et aux enfumades. Vos bouseux d'arrière-grands-parents végétaient dans leurs propres excréments. Ils crevaient la dalle avant de crever à la tâche jusqu'au jour où une poignée d'hommes, dont moi, a pris les armes pour laver dans le sang le déshonneur et les exactions. Sans nous, vous seriez encore à traire la chèvre et à enterrer vos mort-nés sous les ordures. Et aujourd'hui, parce que vous avez été affranchis par notre volonté, vous vous arrogez le droit de nous juger et de hausser le ton par-dessus nos serments de révolutionnaires ?

— Révolutionnaires, mon cul ! Les vrais héros, vous les avez pendus dans des chambres d'hôtel ou liquidés dans des fermes isolées.

— Je vous défends de...

— Vous n'étiez qu'un baiseur de bique, fauché au point de prendre un crachat pour un sou...

— Comment osez-vous ? suffoque d'indignation le vieillard.

— Vous vous êtes peut-être enrichi sur le dos du contribuable, mais vous êtes resté le même pauvre type d'autrefois, un galeux sous des habits de soie...

— Vous ! le galonné à peine sorti du caniveau que déjà sur un nuage...

— ... un erratum historique, voilà ce que vous êtes, une ordure doublée d'un traître en passe de faire d'un pays un dépotoir et d'une nation un cheptel.

— Je vous ordonne de me détacher.

— Répondez d'abord à ma question.

— Je m'en vais vous écorcher vif, espèce de cinglé. La police est déjà à vos trousses. Elle vous rattrapera et je vous promets de veiller personnellement à ce que vous pourrissiez dans une basse-fosse jusqu'à ce que mort s'ensuive.

Zine lui assène un coup sur la figure avec le plat de la pelle. Le vieillard se renverse sur le côté. Lorsqu'il sent son sang ruisseler sur son visage et suinter sur son tricot de peau, il remue faiblement pour se remettre sur son séant.

— Voyez-vous, monsieur Hamerlaine. Le monde fonctionne sur la base d'un vulgaire rapport de forces. Le vrai maître de la situation, c'est la trique et non celui qui la tient... Alors ? Vous lui avez arraché le sein par dépit ou pour jouir de votre impunité absolue ?

— À votre avis ?

— Vous vous êtes acharné sur votre propre petite-fille...

— J'ignorais jusqu'à son existence. Pour moi, ce n'était qu'une vierge sacrificielle comme tant d'autres. Et je vous emmerde. J'ai vécu pleinement ma vie, moi. Maintenant, tirez-moi une balle dans la tête, et qu'on en finisse.

— Trop facile, dit Zine en posant la pelle par terre.

Il extirpe du rouleau de toile cirée la pierre et le morceau de bois taillé en pointe rapportés de Fouka, les dépose sur le rebord du fossé.

— Que signifie cet outillage débile ? fait le vieillard, horrifié.

— Je vais procéder à un rituel, monsieur Hamerlaine. Selon une vieille croyance anglo-saxonne, pour empêcher les vampires de ressusciter, on leur met un caillou dans la bouche avant de leur planter un pieu dans le cœur. C'est ce que je compte faire avec vous. Afin que vous ne puissiez plus revenir hanter nos jours ni nos nuits.

— Vous êtes complètement, mais complètement détraqué.

Dans un ultime instinct de survie, le vieillard envoie d'une ruade Zine dans le fossé, se relève et court vers la mer en boitillant, les mains ligotées dans le dos. Zine émet un petit rire dédaigneux ; sans se dépêcher, il dévale les dunes sous les trombes d'eau. Hamerlaine court droit devant lui, spectre éclopé lâché dans la nature ; il court, lui qui ne sait plus ce que marcher veut dire, qui se déplace dans ses palais sur des tapis volants et qui traverse la chaussée en limousine, le voilà qui court à s'exploser la poitrine ; il court, il s'enfuit, il se sauve, la gueule ouverte sur ses braillements, maladroit, grotesque, pathétique sous le flash des éclairs comme si le ciel cherchait à le donner en spectacle. « C'est ça, lui crie Zine, du cran ! salopard, vous allez y arriver. » Le vieillard tombe plusieurs fois, roule sur lui-même, ensablé, crotté, dégoulinant de rinçures, le souffle en perdition, hypnotisé par les flots en furie et l'horizon bardé d'orages ; il fonce dans l'eau tumultueuse, trébuche sur les flots qui l'engloutissent, réapparaît parmi l'écume, et avance, avance contre vents et marées dans le déferlement des vagues.

Zine comprend alors que le vieillard ne cherche pas à fuir, mais à se noyer. Poussant un juron, il s'élance à sa poursuite, bataille pour fendre les eaux furibondes, chavire, tangue, hurle ; ses cris transpercent le chahut de la tempête. Un moment, il perd de vue le vieillard, s'affole puis il le voit rejeté par un ressac, le rejoint à la nage. Le vieillard tente de rester sous l'eau, mais le remous le fait remonter à la surface. Son corps d'épouvantail ne pesant pas lourd, il se campe sur ses jambes, expurge ses poumons de ce qui leur reste d'air, retient sa respiration, replonge la tête sous l'eau. Il est à deux doigts de s'évanouir lorsque Zine l'attrape par la taille et le soulève.

— Vous ne vous en tirerez pas comme ça, fumier. Pas cette fois.

Zine bouscule le vieillard devant lui, à coups de poing, le catapulte vers la plage, le jette sur le sable, le traîne par les pieds jusque derrière les dunes boisées.

Le vieillard est épuisé. Des filets blanchâtres pendouillent aux coins de ses lèvres. Il a envie de dire quelque chose ; sa pomme d'Adam s'est bloquée dans sa gorge. Zine lui ligote les pieds, le roule dans le fossé, le retourne sur le dos.

— Je veux que vous me regardiez en face, haj Saad Hamerlaine. Pour une fois, dans votre chienne de vie, c'est vous qui allez détourner les yeux. Et demain, bon sang, demain, qu'il vente ou qu'il pleuve, il fera beau dans les cœurs puisque la bête immonde ne sera plus parmi nous.

— Vous êtes fou à lier. La police vous retrouvera et vous finirez au poteau après mille tortures, espèce de malade.

— Sauf que chaque matin avant l'exécution, il me suffira de vous savoir mort et enterré pour tout pardonner.

Zine presse sur les joues du vieillard pour l'obliger à ouvrir la bouche, y introduit avec force la pierre ramenée de Fouka. Le vieillard tente de la rejeter, mais la pierre résiste, coincée dans le dentier ; il cherche à se relever, s'agite, se contorsionne, les yeux exorbités. Zine l'immobilise en s'asseyant sur lui, s'empare à deux mains du pieu. Un éclair déchire les ténèbres, enflammant le visage de l'inspecteur qui n'est plus qu'un terrifiant masque de haine et de rage.

— Au nom de tous les Algériens, bons et mauvais, grands et petits, je vous maudis, haj Saad Hamerlaine. Puisse l'enfer vous engloutir à jamais dans ses flammes éternelles.

Au moment où il enfonce le pieu dans le cœur du vieillard, au moment précis où il sent la chair céder sous le coup et une giclée de sang chaud lui cingler le visage, Zine est ébranlé par une violente onde de choc tandis qu'une brûlure atroce se déclare quelque part dans son ventre.

39.

Zine arrive devant son immeuble vers 3 heures du matin. Il ne descend pas tout de suite de la voiture. Encore dans un état second, il ne se rappelle même pas quelle route il a pris pour rentrer chez lui sous cette pluie hystérique. Dans sa tête, la rumeur véhémente de la mer continue de chahuter les cris de Hamerlaine.

Zine ne sent rien, juste un flottement diffus comme s'il oscillait entre le vertige et la nausée. Sur le square qu'un vieux réverbère veille sans y croire, les guimbardes barbouillées sont livrées à elles-mêmes. Le gardien a déserté les lieux, ou peut-être serait-il en train de roupiller dans un tacot, son gourdin entre les jambes. Sur la façade grêlée du bâtiment, les fenêtres éteintes se veulent aveugles ; en cas de grabuge, ni vu ni connu. La nuit sans échos se dilue dans sa noirceur, triste à crever, et l'orage qui éructe tel un ogre gavé, effarouché par les effets spéciaux de la foudre, ajoute à la déréliction ambiante une touche de fin du monde. D'habitude, de jeunes insomniaques consument leur ennui sur le trottoir, rabâchant les mêmes aigreurs romancées. Ce soir, pas âme qui vive. La cité fait le mort, recroquevillée autour de ses peines, la tête sous l'oreiller pour ne pas voir les éclairs se donner en spectacle dans le ciel cafardeux d'Alger.

Zine allume une cigarette, barricadé derrière son volant. Il s'attendait à trouver une armada de flics déployée dans la cité, les gyrophares tournoyant sur la toiture des voitures, le fusil d'assaut à l'affût du moindre refus d'obtempérer. À cette heure-ci, l'enlèvement de haj Hamerlaine devrait avoir été signalé depuis un bon bout de temps et les états-majors, toutes armes confondues, mis en alerte totale. Zine est surpris de ne trouver personne en embuscade pour l'intercepter. A-t-on chargé un « huissier » de le liquider à bout portant dans la cage d'escalier ? N'est-ce pas la plus probante façon de passer sous silence le scandale et de priver les médias d'un interminable feuilleton aux ramifications aléatoires ?

Zine écrase sa cigarette dans le cendrier de bord et met un pied à terre. La brise ne le dégrise pas. Il s'aperçoit qu'il a du mal à tenir sur ses jambes, que sa gorge est contractée et que ses mains tremblent. Et cette atroce brûlure dans le bas-ventre, pourquoi ne s'atténue-t-elle pas ?

Il respire un bon coup pour se donner du cran et marche sur la porte de l'immeuble. Le sol vacille sous ses pas. Jamais parcours ne lui a paru si long. Une vraie traversée du désert. Maintenant, ce n'est plus la rumeur de la mer qui résonne à ses tempes, mais les battements de son cœur. L'inspecteur a la nausée. Le souffle lui manque lorsqu'il atteint la cage d'escalier plongée dans le noir. Il n'y a personne. Personne non plus sur le palier du premier. Personne au deuxième étage. Zine tripote la serrure de son appartement. Allume dans le vestibule. Le tabouret est toujours là, ainsi que la petite monnaie sur la commode. Rien n'a été dérangé dans le séjour. La chambre est dans l'état où il l'avait laissée. Par mesure de précaution, il vérifie dans les deux autres pièces, écarte le rideau dans la salle de bains pour s'assurer que personne ne se cache derrière...

Tout est en place.

Aucune trace d'intrusion ou de traquenard.

Zine a du sang sur ses vêtements et sur le corps.

Il se fait couler un bain.

En se déshabillant, il situe enfin l'origine de l'atroce brûlure dans son bas-ventre. Il est en érection. C'est la première fois qu'il est en érection depuis le massacre dans l'Ouarsenis. Sa virilité est tendue à rompre. Il n'en revient pas. Pris de vertige, il s'agrippe au rideau en toile cirée et regarde, fasciné, le fantastique bout de chair qui suscitait en lui la plus désastreuse des déprimes et qui, à cet instant, semble lui restituer jusqu'au dernier pan de ce que le malheur lui avait confisqué. Il reste ainsi, debout dans l'eau fumante, extasié et effaré à la fois, le cœur en déroute, ne sachant quoi penser ni quoi faire.

Il est guéri.

Il est entier.

Il est vivant !

Lentement, il se laisse glisser dans la baignoire, *se prend* à deux mains et *s'étreint* de toutes ses forces pour être sûr qu'il ne rêve pas.

Zine croule de sommeil, mais il s'accroche. Les groupes d'assaut ne vont pas tarder à débouler. Il veut les accueillir éveillé. Il ne les laisserait pas le surprendre dans son sommeil, le jeter à terre comme un voyou ; il lèvera les mains très haut pour que tout le monde les voie au cas où quelqu'un s'aviserait de le canarder pour refus d'obtempérer. Zine n'a pas peur de mourir. C'est vrai, il a les mains qui tremblent, mais ce n'est pas à cause de la mort ; il tremble parce qu'il n'arrive pas à croire que la bête immonde n'est plus, et que c'est lui, le petit inspecteur de bas étage, qui a débarrassé la nation entière d'un dieu supposé plus coriace que la fatalité.

Enveloppé dans un peignoir, Zine s'assied sur le canapé du salon, face au vestibule, fume cigarette sur cigarette, les yeux chevillés à la porte.

Aucun bruit suspect ne parvient du palier.

Le soleil maintenant est à son zénith. La rue se noie dans un vacarme de klaxons et de vrombissements.

Vissé à son canapé, Zine n'a pas fermé l'œil.

Personne n'est venu frapper à sa porte.

Vers 13 heures, le téléphone sonne.

Zine hésite longtemps avant de décrocher.

Il ne reconnaît pas la voix de son frère au bout du fil.

— Tu es où ?

— Chez moi.

— Allume la télé et dis-moi si c'est vrai, ce qu'on raconte.

Zine actionne une télécommande. L'écran s'éclaire. C'est le journal télévisé. Un attroupement assiège une villa – celle de Hamerlaine, à Hydra. Les visages sont tendus. Sur certains, l'hébétude est immense. Le journaliste bafouille, fébrile et hagard ; il oublie de parler dans son micro. Des voitures officielles et des 4 × 4 des unités spéciales saturent la rue.

— Zine, mon frère, je t'en supplie, dis-moi que je n'ai pas la berlue. Dis-moi que c'est vrai, ce que je vois et j'entends, que c'est vrai, ce qu'on raconte ! s'excite la voix au bout du fil.

Zine ne lui prête pas attention. Il est scotché à sa télé.

Le journaliste parvient à atteindre la véranda. Le micro en pointe, cette fois. Il s'adresse aux domestiques, raides d'obséquiosité dans leurs costumes d'eunuques abbassides.

LE CORRESPONDANT DU JT : Vous êtes le majordome de M. Hamerlaine ?

MAROUANE : Oui, monsieur... Je suis à son service depuis trente-cinq ans.

LE CORRESPONDANT : Pouvez-vous nous expliquer ce qui s'est passé, hier soir ?

MAROUANE : M. Hamerlaine a dîné à 19 heures dans sa chambre. Comme d'habitude. Vers 22 heures, il m'a sonné pour que je lui apporte son costume blanc qu'il ne porte que pour les cérémonies officielles. C'est moi-même qui l'ai aidé à se rhabiller. Je lui ai demandé s'il avait besoin d'un chauffeur. Il m'a répondu que ce n'était pas nécessaire, qu'on passait le prendre. Effectivement, une Mercedes est venue le chercher. M. Hamerlaine m'a dit qu'il rentrerait avant minuit. Il rentre toujours avant minuit à cause de ses médicaments qu'il prend à la minute près. À minuit, il n'était pas de retour. Nous avons appelé sa résidence secondaire à Fort-de-l'Eau, puis le pavillon 32. Il n'y était pas. Nous avons commencé à nous inquiéter. Nous avons pensé à un accident de voiture ou à un malaise survenu lors de la cérémonie et nous avons saisi son secrétaire particulier, qui réside sur le front de mer. Ce dernier a appelé partout, les hôpitaux, les urgences, les cliniques privées, sans succès.

LE CORRESPONDANT : Pourquoi avoir attendu le matin pour signaler la disparition de M. Hamerlaine à la police ?

MAROUANE : Parce que je ne suis que le majordome de Monsieur. Je ne suis pas habilité à signaler quoi que ce soit.

LE CORRESPONDANT : Pourriez-vous nous parler de la personne venue chercher M. Hamerlaine.

MAROUANE : M. Hamerlaine n'a pas souhaité que je l'accompagne jusqu'à la porte. Il paraissait décontracté, enjoué. Je l'ai entendu éclater de rire dans la rue et dire à la personne venue le chercher : « Ah ! vieux renard. Tu es quand même revenu au pays après toutes ces années. » Puis une portière a claqué et la Mercedes est partie.

LE CORRESPONDANT : Comment savez-vous que c'est une Mercedes puisque vous n'avez pas été invité à accompagner M. Hamerlaine jusqu'à la porte.

UN DOMESTIQUE : C'est moi qui ai vu la Mercedes. Je me tenais à la fenêtre, au deuxième étage, pendant que Monsieur montait dans la voiture.

Zine n'en revient pas.

Les domestiques ont choisi de présenter une autre version des faits. Ils ont décidé de le protéger, lui...

— Allô, s'impatiente la voix du frère au bout du fil, est-ce que tu es toujours là, bon sang ? Qu'est-il arrivé à ce salopard de Hamerlaine ?

Zine raccroche, la tête sous vide.

Il va dans sa chambre se changer.

Enserré dans un costume presque neuf, il sort sur le palier, descend une à une les marches de l'escalier, rejoint la rue éclatante de soleil, hume à pleins poumons l'air du dehors et, purgé de ses vieux démons, il se laisse emporter par la foule, certain d'être enfin devenu un homme, et digne de marcher parmi ce magnifique peuple qui est le sien.

Cet ouvrage a été composé et mis en pages
par ÉTIANNE COMPOSITION
à Montrouge.

Imprimé en Espagne par Liberdúplex
à Sant Llorenç d'Hortons (Barcelone)
en août 2015

POCKET – 12, avenue d'Italie – 75627 Paris Cedex 13

Dépôt légal : septembre 2015

S25388/01